あなたとわたしと
無数の人々

川上亜紀刊行全詩集

目次

あなたとわたしと無数の人々

生姜を刻む

花束

花を贈られてもとまどうばかりだ

地下鉄で通勤する私の目は
薄闇に慣れてしまっている
やわらかい生殖器官に
たくさんのリボンを巻いて
届け先を指定するひとの手には
すでに消せない傷あとがある

花を見分けない私の目には
想像の傷あとばかりがうつってしまう
しかたなく花に耳をよせると
踏みにじらないでくださいと
悲しい声で呟いている
匂いだけがあまく夜の闇に澱んでいく

花の匂いがすると夜眠れない
地下鉄の駅のように
ひそやかにざわめいている
明け方の夢のなかでは
私が誰かに花を贈っている
やわらかい生殖器官に

たくさんのリボンを巻いて
朝めざめると花は萎れていて
私の手には消せない傷あとがある

満月

声を聞くこともできなくなった人のために
今夜はかぼちゃを煮ます
嫌いだと言っていたかぼちゃの色で
とうとう声も聞くこともできなくなった人を弔います
いい日和だねと猫が鳴くので
鍋を持ち出しました

間違って水溜まりを覗いた人を

救う言葉をだれも持たない
季節はいつから捩れ始めたのか
春夏秋冬に逆らっていたから
なにも気がつきませんでした

水溜まりを覗いたのは私でしたか
間違って背中を押したのは
素通りするはずの耳の曲がった猫
逆恨みと呼ばれるよくある出来事
低気圧を招きよせるほどのこともないでしょう

——こんな日は雲を渡っていける
（瞬間に散っていく水溜まりの残像）

夜にはかぼちゃの月が空にかかります
爪を剥がした猫が月を喰らい
声を落とした私が猫の背中をさすり
満月の徒刑場に乾いた水溜まりを探します

縞蛇の秋

林檎の中の縞蛇は声をもたない
もう長いこと沈黙の世界に住んでいる

夏の終わりの雲が光る午後
リリー・マルレーンを誰かが歌っている
夏空がいつも青いと思うのは錯覚で
私が見ているのは過去の夏空の記憶だ

移り変わる雲の色を見ながら
崩れていく記憶の破片の海に踏み込んで
丸くなった色ガラスで頭の中を飾るのは
写真をアルバムに貼る作業に似ている

さまざまなものの色と影が濃くなっていく
金色の雲が笑いながら通りすぎる
猫脚のテーブルに魚や果物の類を載せると
闇にひそむナイフが輝きはじめる

細い帯状に林檎の皮を剥いていくと
声のない縞蛇が静かに身を捻り出し
未完の秋の城壁へと急いでいく

1994.

猛暑の年

入院

西の窓から丹沢の山が見える病院に
一週間前に入院してきた

今朝は山の稜線がくっきりしている
雲がひときれ水泳選手のかたちになって
窓ガラスを横切りはじめた
白いミルク色の点滴が落ちてきて
わたしの体重も増える見込みだ

新聞を広げて缶入り紅茶を飲む
（本当はコーヒーと同じで
紅茶も飲んではいけないのかもしれない）
タラのクロックムッシュー風の作り方を
ゆっくり時間をかけて切り抜いた

山の頂きに少し白いものが見える
ミルク点滴があたふたと終わってしまうので
看護婦が急ぎ足でやってくる

昨日早すぎる春一番が吹いたが
病院内は特権的無風状態

雲はたちまち二匹のワニに姿をかえ
窓ガラスの隅に長々と寝そべった

雪の海

まぶしく晴れた雪の朝
山の手前の工場の煙突は勢いよく煙を出す
視線を左に逸らしていくと
屋根に雪を載せたいくつかの倉庫があり
その向こうにはふいに
海が拡がっているように思える

雪の積もった海岸には

コトリの足跡が規則正しく並び
波打ち際から倉庫の辺りまで
サカナの臭いが伝わってくる

そんなふうにまとめた海のイメージ
雪の海岸など実際に見たことはない
それとももっと手のつけようもなく
海はただ拡がっているのかもしれなかった

たとえば病院の裏階段の下
工事中の駐車場には犬小屋があって
そこにはシェパードが飼われているらしいが
わたしは見たことがない

地上3階から見下ろす犬小屋はとても小さくて
すっぽり雪をかぶっていた

高カロリー輸液

窓の外の遠くでは
ペンギンの雲とラクダの煙が接近
ペンギンは後ろ向きに逃げるのだが（南へ）
ラクダがもくもく追い続ける（南へ）
しかしラクダは煙突に繋がれているので
ペンギンとの距離は保たれている

保たれているというわけである

昨日は点滴の管を交換して
固めのスパゲッティみたいにからまった管が
看護婦の手で運び去られた

新しい点滴の管は少し短い
高カロリーの栄養が管を伝って
肩の静脈から体内に入り続けている
心配したほど空腹も感じない
わたしの腸も楽をしながら
含み笑いなどしているのだろう
いわゆる肩代りというやつだ

わたしの腸には

わたしはほんの少し同情している
しばらく肩から栄養を入れてもいい
まあそんなわけで保たれている

窓の外では風向きが変わる
ペンギンは細長く潰れてしまい
ラクダは逆向きに走り出す（北へ）
2頭になってもやはり繋がれている

そしてわたしはベスビオンという名前の経腸栄養剤を配膳室まで取りに行くことになった。

生姜を刻む

包丁切れないし
生姜は固かった
ごりごりと手ごたえばかり
腕の骨を伝わってくる
しかし砥石は見あたらないし
刃物を研ぐには天気が良すぎる

台所の窓から

夏蜜柑の木が見える
全部で13個の夏蜜柑も見える
木の下で子供たちが列を作り
海岸へ行くバスを待っている
泳げる季節ではないが
子供たちは海岸へ行って遊ぶ

日がな生姜を刻んでいると
手と目が疲れて重くなる

海岸はとても遠いので
私はバスに乗ったことはない
毎晩夢の中で夏蜜柑を数え

風景を倒立させて遊ぶ

包丁を研げばきっと指を切るし
指を切れば血が出るのだ
刻み生姜と紙屑の中で
私は小さく悲鳴をあげる

むろん砥石は物置の奥で
刃物を研ぐには天気が良すぎる

夏に博物館へ行く

博物館の玉砂利を踏んで
サンダル履きの赤いスカートの娘が歩いていく

私は今日も布靴を履いて来てしまった
玉砂利は足をめり込ませて歩きにくい
炎天下、歩く速度は確実に落ちる
気象評論家が熱帯の人々を見習えと
新聞に書いているのを読んだが

熱帯の人々は昼間は速足では歩かないのか
いやともかくこの玉砂利がいけないと
博物館の関係者は皆言っている
玉砂利に足をとられて
遅刻する・膝が疲れる・上等の靴が滅ぶ・年寄りが転ぶ
それなのに私は今日もここへ来て
大した用事もないのに玉砂利を踏んで歩く

ざくざくと砂利を飛ばしながら庭を一周して
博物館の掠れた桃色のドアを開けると
それはもちろん裏口で中は薄暗く
博物館独特の臭気が鼻をつく
すべり込んでしまえば入場料はいらないが

私は何かが見たくて来たというわけでもないのだ
珍しい動物の剥製や昆虫の標本なら他でも見るし
この町の地形図や歴史にもあまり興味はない
そもそもここに展示されているのはそんなものではなく
やや変色した桃色の絨毯を敷きつめた階段である
幅の広い湾曲した手摺を持つ階段である

階段は全部で17段あって徐々に左へ捩れている
だから壁に沿った右側を歩くと上り下りに時間がかかる
人々はゆっくりした動作で階段を上ったり下りたりする
人々は左の手摺側を好んで上っていき、下るときには壁ぎわを下りてくる
人々は果てしなくそれを繰り返している
階段に敷きつめられた桃色の絨毯は長いあいだにすり減って

人々の足をめり込ませたりはしない
私はこの階段の13段目で立ちどまるのが好きだ

階段があるのでもちろん博物館には2階があることになる
そして噂によれば2階にも階段があるという
つまり博物館には3階もあることになる
だが2階の階段は狭くて暗くてみすぼらしく
博物館的価値もないから一般公開をしていない
上り下りすると蹴込み板がきしんで死にかけた猫のような陰気な声をたてると
　いうので立ち入り禁止になっている
そこで3階に所蔵された階段の博物館的価値についての資料を整理することが
　できず、関係者も困っているらしい
階段の13段目で時間がたっていく

人々はやはりゆっくり階段を上ったり下りたりしている
階段ですれちがうとき人々は挨拶する
とてもすばやく秘密めいた視線のやりとりをする
長いあいだにできあがったしきたりである

夕方の4時になると階段の掃除が始まる
制服を着た館員が電気掃除機を使って
1段ずつていねいに桃色絨毯の埃を吸いとっていく
閉館の音楽が階段の上方から流れてきて
人々は退出していく

裏口の石段の上に若い男の人がねそべっていて

暑いですねって声かけてみようと思ったんだけど
あの人昨日もいたのよ
と赤いスカートの娘が大きな声で笑った

キリンを飼う

ある朝仕事に出てみると
〈弁当箱でキリンを飼うな〉
と唐突に諭される

すると弁当箱で飼えるのは
やはりタニシかあるいはミドリガメか
と考える頭はどこかでかすかに濁っている

ゆっくり頭を一回転させると
遠い草原が現れてまた消えていく
草むらのなかに落下した流星が埋まっている
隕石を拾っている私の姿が見えた
いったいキリンはどこにいるのかと不審に思う
黒いでこぼこした隕石を両手で持ちあげる
大気中で燃えつきなかったので
このホシは草むらに落ちたのである

もう光らないホシの余熱で両手をあたためながら
黒くて凹凸の多い石の役目を考えてみるが
どんなモノにも役目があると思うのはまちがいで
人間が求めすぎるので石でさえ顔を変えてみせるのだ

無表情な隕石に話しかけても無駄だ
私は言葉の通じないモノから残った熱を奪っているのだ
と思う

草原は曖昧に広くなり遠ざかる

昼食時——弁当箱にてキリンの発芽

つまり弁当箱でキリンを飼うと
こうしたことがしばしばおきる
弁当箱の役目はキリンを飼うことではないらしい
私のせいではないのだが
コーヒーを飲みながら言ってみる

〈草原にキリンは見つかりませんでした〉
両手で弁当箱をあたためながら次の言葉を探す
空腹にコーヒーを飲んだせいかかすかに胃が痛む
机の上に視線を落として自分の役目を探していると
書類のかげに冷えた隕石が見つかった

キリンに子供が生まれるのかと訊かれる
〈いいえちがいます　発芽したんです〉
周囲がいっせいに不満気な声をあげる
キリンが発芽してはいけないのだろうか
隕石が出産した場合はどうなのか
私が発芽したり出産したりすればやはり不満なのか

草原にキリンはいなかったのである
長い首をのべて歩くキリンの姿は見えなかったから
私は草むらになかば埋もれた黒い隕石を拾っていた
〈これが証拠です〉
冷えた黒い凹凸の多い石をさしだすと
ただの鉄とニッケルだと皆笑った

腕時計

真夏の手首には安物の腕時計を巻きつける
そして

その年の秋には大きすぎる文字盤が時計の機能を失った

秒針はいつ見ても動いているのに
文字盤をいつ見ても時刻は狂っている
いちにちじゅうその時計を見張っている時間はなく

いったいいつその時計が狂っていくのか知らない
昼夜を問わず時計を見張っていると
私がヒトとしての機能を失う

皮膚に接触する金属の文字盤さえなければ細い革で編んだ長いベルトを足首や、
或いは首に巻きつけることも可能で捨てがたい

と言えば時計屋は電池を交換して

翌週の木曜日の朝には私は歯を磨いて眠り、
次に目覚めたのは土曜日の夕方
私は日曜日の朝食のためのパンを探して
駅前のパン屋へ歩いていく　そして

時計に揺すられ夜更けの道は遠くなっていく
一晩かけて駅のパン屋に辿りついて
私はこっそりと真夏の腕時計をフランスパンの端に巻き、
アンズの入った焼き菓子を買う

舞台

眼鏡の裏に顔がある

女が赤眼鏡をかける
女が青眼鏡をかける
女が黄眼鏡をかける

そして男が黒眼鏡をかける

舞台の上で殺されるのは鹿だ
男でもなく女でもない
時代遅れな衣装をつけて
男と女が舞台を歩く
（黙々と　叫びながら　顔をしかめて　手を捻りながら　林檎を投げながら
　お互いの名
　を呼びながら）
皆で半円を作って座り
殺した鹿を賞味する

雪が降り始めた（十年ぶりの大雪らしい）
雪に色彩はない（ただ鈍重に降り続ける）

女が口紅で×印を描く
女がハイヒールの踵を鳴らす
女が雪つぶてを投げる

眼鏡をはずすと視界が遠のく
色のない眼鏡は心身を疲労させる
鹿を撃った銃を構えて観客を狙うのは
きっと小さい子供の役目だ
男でもなく女でもない
だが子供は姿を見せず
待ちくたびれた観客は疲労し始める

大仰に鳴り響くオルガンの音が

次の犠牲者を探している

何も見えない白い舞台の隅で
男が黒眼鏡をはずす気配がする

部屋

たとえばここで煙草を吸えば
煙は静かにまっすぐに立ちのぼる

だが
昨日は縁起でもない水死体を演じて
戻ってみると新聞紙が発火するところだった
水死体の役は髪の長い女にまかせておきたい
水中ではプラチナブロンドの美しいカツラが

ともかく流されて脱げてしまうのだ
一晩で腰まで伸ばす呪文を唱えると
副作用でひどく肩が凝るのは知れたことだ

優雅な水死体とか官能的な水死体とか
不気味な水死体とか風景のような水死体とか
水死体の演技にはいろいろあるが
むろん最高の水死体とはただの水死体で
ただの水死体は演じられない

水中で私が分解されていく過程は長いのだった
悲しんでもいけないし楽しんでもいけない
決して呼吸はするなと命じられている

ヒカリとサカナは遠くで戯れていた

一滴の水も湛えたことのない乾いた部屋に
いつもどこからか水音が聞こえてくる

心臓の位置を確かめる
肘関節の曲がりを確かめる
爪先は足に所属することを確かめる
眼球はまだ角度を変えることを確かめる

紫か緑か濃紺か
カーテンの色は日毎に変わり
半ば開かれ半ば閉じられ

窓辺では分刻みで植木鉢が割れる
動くな、と命じながら泣くヒトがいて
部屋の空気はすでに震えている

今朝

朝めざめてから目をあけるまでのあいだに
私は自分の寝ている場所をよく勘違いする。
私が寝ているのはあの部屋かこの部屋か、
私が寝ているのは布団かベッドかそれとも床か、
私が寝ている部屋の窓は東向きか西向きか、
私が寝ている部屋の出入り口はどこか、など。

目を閉じたまま勘違いをつづける。

しかし現実には、私が寝ている可能性のある部屋は部屋a、部屋a′、部屋bの3種類だ。

まずそれ以外ではないのである。

——それ以外なら、そこは部屋であるとしか考えられない。

私は今朝、部屋aでめざめた。

——にもかかわらず、そこは部屋a′であると目をあけるまで思い込んでいたので、出口は自分のハダシの足の延長線上にあると錯覚していた。部屋aの出口は私のヒザを横に切る線の延長上にあった。それは、私を中心に考えれば右側だった。

——たいてい、部屋というものは、しかくい。しかくい構造を持っている。さんかくの部屋、まるい部屋の噂はときどき聞くが、私はまだ住んだことがない。

部屋の出口は、ノブを回して押して開けるドアだった。

食堂という名前の部屋に行くと、そこには部屋a´から起きてきた母が座っていた。白いサマーセーターなど着ていた。母は私より朝早く起きて「てくび血圧計」で血圧を計る。

5年前にも似たような朝があった。
数限りなく似たような朝があった。

「あなたが紅茶をいれ
わたしがぱんをやくであろう」(*)

私は紅茶に牛乳をいれて飲む。

ときどき私も「てくび血圧計」で血圧を計る。
すばらしく正常、ややひくめの数値を得る。
いつもはやすぎるのは脈拍だけだ。

――この家は地上2階にある。
家のドアにたどりつくには、合計17段の階段をのぼる。途中には狭い踊り場がある。その狭い踊り場で、たとえば救急隊員が担架の向きをかえるのにたいへん苦労する。もっと昔、アップライトのピアノを売り払ったときも、踊り場が難所だった。

ある朝、私が紅茶をいれてもいいだろう。
またある朝、私がパンをやいてもいいだろう。

しかし、女でも男でも、ヒトの骨を埋めておく庭はこの家にはない。合計17段の階段を降りると、雨の季節には次々と剥がれてしまうタイルがしきつめられ、共同玄関にはまた1段の段差がひかえていた。そしてたかが17段と1段の階段は、病気のヒトにはやはりつらい、のだった。

——部屋bはこの家の外にあって、もう少し地面に近い。しかし、やはり庭はない。隣家とのあいだの塀のかげにヒメジョオンが生え、名前のわからない紫色のツル草が1本、窓の網戸に絡んでいるが、そこには男や女はおろか犬を埋葬することもできない狭い狭い地面だった。

私は母と今日の天気の話をする。

今日は午後から雨が降るらしい、

今日は5月にしては少し肌寒い、

今日はあんまり病院日和ではない、
今日は洗濯してもしかたない、など。

5月にしては濃すぎる色の上着を着て、母は出かけていった。最近「ヒト回り小さくなったようですね」と言われたことを、母は少し気にしている。

私は今日は病院にも行かず、洗濯もしなかった。

食堂に座って、まだめざめたことのない狭くて暗い部屋を想像し、まるで部屋bで目がさめたときのように、黒いコーヒーを飲んだ。

午後になっても雨は降らなかった。

＊富岡多恵子「水いらず」より

卵

卵を食べる
卵を毎日食べる
卵を食べるのが好きだ

卵焼き、目玉焼き、半熟卵、固茹で卵、温泉卵、ポーチドエッグ、スクランブ
ルエッグ、オムレツなどを作る
生卵は食べない

ある日、私は卵をだめにしてしまった。

長いあいだ留守にしていたので、もうこの卵は食べられないだろうと思った。

「ヒトリ暮らしなんでも相談」に電話した。

すると「ヒトリ暮らしの知恵」がとても発達した男のヒトが訪ねてきて、だめになった卵の捨てかたを教えてくれた。


トイレに流してしまうのだ、もちろん殻ごとではない、中身だけ

私はそれを聞いたとき、新鮮な思いつきだ、と思った。私は今まで割ってみたら黄身が崩れているような信用できない卵を流しの隅の三角コーナーに捨てて、卵の白身がとろとろと流しに垂れてくるのを横目で見ていたのだった。もうそんな愚かな真似はしなくていいのだ。

だめになった卵を抱えてトイレに向かう

まっしろな洋式便器のなめらかなでっぱりでこんこんと卵を割る。きょうの卵はきれいに割れた。黄身を抱いた白身が一瞬、卵の殻にぶらさがってとぽんと便器の中へ落ちた。

私は便器のでっぱりにつかまって、便器の中をとっくりのぞきこんだが、それはふつうの卵の白身と黄身だった。いや、白身についてはよくわからないが、黄身は都会のスーパーマーケットで売っている透明なプラスチックケースに収まった卵としてはふつうの黄身だった。

色は、あまり濃くはない黄色で、

形は、盛りあがりに欠けるが、

とくべつに変色したり崩れたりいているわけではないらしい。らしい、というのは卵はすぐ便器の水中になだれこんで沈み、よく見ることができなかったからだ。

トイレの水を流す

つまりそれほど長いあいだ、留守をしていたのではなかったかもしれない、と言って男のヒトに割れた卵の殻を渡したら、男のヒトは流しの隅の三角コーナーにそれを捨てた。

「季節別場所別……」

空はカラッポの五月晴れ

右斜め奥に幾分ひしゃげた灰色の帽子の影が写っている
帽子は黒いカラーボックスの上に置かれている
誕生日にNに買わせたN曰くこんな高い帽子初めてだ
背景は部屋の大部分を占めた押し入れの襖
右半分だけがなぜか黄ばんで左半分は貼り直してある
中央にNの上半身

薄荷色のトレーナーの胸のところに私の爪が当たる
Nの頭頂部の押し入れの襖の黒い木枠が銛のように刺さって
肩と顎の隙間からまた面に出てくる
酔ったT君に殴られて眼鏡を壊したので新宿でいちばん安い眼鏡を新調したN
はカメラを向けられると避けようとして少し後ろに身体を倒したがそれ以上逃
げ場がなかったので右肩を引くようにして凛々しく唇を結んでいる
髪の毛は自分で短く刈っている　よし（フラッシュ）

がっちりした首に支えられた顔は何も言わない眼鏡を外すと目は小さくなる顔
は扁平になるそもそもNは顔で何か言ったりしない必要なことは口で言う必要
ないことは言わない
（今気がついたが帽子の下には青いセーター
私は滅多に着なかったのできちんと畳まれてその部屋の湿度で滅びかけてい

る）

これが写真のほぼ全容である

「季節別場所別植物図鑑」にカラー写真は少ない押し葉標本の作り方が細かい字で詳説されている　押し葉標本なんて作ったことはない

何度見ても他人だＮの肺を爪で押してみる
Ｎが声を出す優しい声を出す髪をかきあげると丸い額残っているヒゲ剃りの跡すり切れたトレーナーの襟から出る首筋はがっちりしているがまだ幼い耳が赤らんでいるのは何かに憤ってでもいるのかそれとも寒い戸外から部屋に戻ってきたばかりだからか　写真の日付はＮの誕生日だ私の誕生日の二週間後だ　それは一昨年の誕生日だすると一昨年の秋にＮと私は会ったことになるが写真の

日付の他にこれといった証拠はない　この日付の記憶はカラッポだ

ナンデモイイ　ナンデモイイからなんか思いついてくれ
ソデナガ族の戦い
ナニソレ？（ナガソデのシャツのソデを右手でひっぱる左手をもぐりこませる）こういう連中が攻めよせてくるみんなこんな感じでソデナガなわけ
ソレデ？ソレダケ
だからソレダケ？ソデナガ族に対抗してナガソデシャツをオーダーで仕立てるところからはじまる時間がたつと手がのびてくるナガソデシャツを着ていても
ソデから手がはみだしたらアウト自滅する
どうやって戦うわけ？シャツのソデが長いうちに勝負する仕立屋が出没してハサミでソデタケを調整するときどき手まできってしまうと手がはえてくるまで休み

武器持てないよなあだからあんまりソデタケを長くしすぎても不利なわけただ
武器のソデにかくれて見えない部分にムーンストーンがはめこまれていたりす
ると強いソデにカフスボタンなんかつけてるとソデだけでも強い
ナニソレ？最近人気があるムーンストーンの指輪は結構高いでも仕立屋がソデ
と一緒に指まできってしまえばおわり
ソデ切られないようにソデマクリできないのかあうっかりソデマクリしている
ときにナガソデ着た敵にやられると腕をぜんぶきられるわかったわかったもう
いいわかった？いやあんまりよくわかんない毛糸のセーターとかならソデのび
るんじゃないの？
ああ　桜餅食いたいなあ

私はNとソデの話なんかしたことはない
ではどんな話をしたのかそれとも話なんてしなかったのか　ただ駅前の交番の

お巡りさんが私の名前を確認しにわざわざやってきてこの辺りは意外に物騒だ
いちばん奥の角部屋といっても最近の泥棒はガラスを切って入るから現金は置
かない方がいい本のあいだに隠すとかねと言ったそのときはもう紙幣を二枚と
写真を一枚「季節別場所別植物図鑑」の中に隠し終わっていてその日はよく晴
れていたのは確かだ

それっきりその二枚の紙幣と写真のことを忘れた
忘れたまま引っ越しをした　忘れたまま「世界の犬」という写真集を見ていた
アラスカン・マラミュートやシベリアン・ハスキーの写真を見ていた

昨年の秋にもNと会った膝のぬけたジーンズをはいて髪がのびていたが写真は
ない夏に南へ旅に出て九州まで行ったら暑くなったのでバイクを飛ばして帰っ
てきた　写真はない

久しぶりに会ったのでNも私もカラッポになっていた　自分で隠して自分で忘れて得しただろ利子ついてただろ自業自得っていうんだ
そんなことをNは言わない必要ないことは言わない

秋の袖を切る初夏　セーターを脱いで長袖シャツも脱いで転んだサボテンを起こす　ミヤコワスレが次々に咲いて空はカラッポの五月晴れ　身も心もカラッポになる

ヒトでなし

心霊写真などというものではありませんよと写真屋は否定した
あなた方は芝居を忘れるために写真を撮るのでしょうが　さあよく見てくださ
い
鈴の音が聞こえていました
いえ、音は写りませんよ
ウシがいました　この辺りで草を食べて
いや、だからあなた、口のきけないドーブツもこの手のカメラには写りません

ワレワレニハ必要ナイ　そういうドーブツは非常に健康に悪い
でも、ヒトも話はしていません
だから、コトバはね、写りませんよ、あなたも頭が悪いんじゃないかな、そのときあなたが何を考えていたか、それは外側からは見えません　そのためにカメラを持って行った、そして帰ってきた　ね、そうでしょう
前後に少しは話しましたよ
別のことを考えながらする話でしょう、それは別の写真をこの風景にダブらせて見ていたのと同じ「恋」とか
はい？
だからね、あなたも頭悪いなあ、以前の写真に「恋」が写っていたとかね、考えること自体がね
漢字で書いてください
現像代は五〇〇円ですよ

ええ、鯉はいました、たくさん寄ってきて、私の手から餌を奪っていきました
鯉は三角の口を四角にして、群がってくる、嫌いです
そう、口のきけないドーブツはね
鯉は魚ですよ
ワレワレノ神経ヲ逆撫デスル、非常に健康に悪い
でもここに写ってるんです
いや、ヒトでなしは写りますよ、この手のカメラでよく写るんです
どう処理するんですか
だからどうします、トリミングしますかまあね、たいしたことはありませんよ
コトバは写りませんしね
死ね？
漢字で書いても同じです　手間はかわりませんよ
トリミングといってもこの位置じゃ

いや、手間はかわりません
この部分は残して
はあい、冴えない写真になりますねえ、あなたこの風景はまるで写真みたいだ
と思って撮って帰りませんでしたか
ええまあ、言われてみればそんな気も
ねえ、こういう風景をコトバ抜きで残したいとかねえ、よくあるよくある
それは私が撮ったんじゃありません
でもあなたと関係あるヒトが撮った、でしょうそうに決まってる
まあ、確かに、関係あるヒトが
いや、どういう関係なのかなあ　そう真正面から尋ねるのもなんだけど、はっ
はっは、たったこれだけの写真にヒトでなしがこんなに、ねえお客さん
それはヒトですよ
ヒトねえ、いやこれはね、心証風景というやつなの

少し漢字違うんじゃないですか
シロウトさんはねえ黙ってた方がいいね　口のきけないドーブツはワレワレニ
ハ必要ナイ、健康に悪い写真撮るとね健康に悪いよ
わかってます
髪なんか洗って行ったわけ？
いえ、紙に書いたことはそれっきり
それっきり？　時々枕カバーなんか取り替えてる？
あの、何ですか
いや、硬直してるねえ、同じ姿勢長く続けると健康に悪いですよ、時々取り替
えないとだめだ　ほらもうこんなに　硬直始まってますよ　いや手間はかかわり
ません　ワレワレニハ関係ナイ

酸素スル、春

冬

朝、ベランダの窓から雪を眺める
オイルヒーターのスイッチを入れてベランダの窓を閉める
冷蔵庫の唸る音、壁のきしむ音、水道管の鳴る音
静けさは音によってますます強烈になっていく

部屋の隅で灰色猫が目を覚ます
青いフリースの毛布の上で大きく伸びをして
ゆっくりと台所のほうへ歩いていく

部屋のもうひとつの隅でテレビ画面が光る
私はリモコンで画面をOFFにして立っていく
灰色猫がこちらを振りかえって金色の眼で見上げている
かすかに喉を鳴らしているのが聞こえたような気がした

子どもだった頃、
雪が積もった夕方にはぼんやりと近所を歩いた
青い影が歩道にいくつも落ちていた
影たちはやがて長く伸びて
子どもが毛糸の手袋を雪に押しつけては
小さい深い青い影を作るのを見ていた
雪を噛みしめると金属的な味がした
その頃、雪は深い青い幻想だった

いま、また冬だ
私は乾いた部屋の中にいる
外では白く乾いた雪が舞い降りている
何も残らなかったのだろうか（誰もうここにはいない）
雪も何も残さないのだろうか（あの青い影たちはどこに）
いま星がひとつ死んでもそのヒカリは私には見えない
この静けさのために私自身が発火するまで
いつまでもどこまでも冬が続けばいい
明け方、夢のなかで灰色猫が増殖していた
コピーされた灰色猫が灰色のくっきりとした影をしたがえて小走りになり
その影もやがてコピーされた灰色猫となってととととと同じ方向へ走り
またその後ろから姿も大きさも同じ灰色猫が現れるのだ
増殖する猫たちは無言で増殖し続けて

ああどうしようああどうしようという私の声も聞こえてきたが、
その声は次第に幸福な陰影を帯びて
濃淡のない灰色の猫たちは無言で私の目の前を横切り続けた

岡本太郎のトランプ

「岡本太郎記念館のお土産にトランプを貰いました」
電子郵便を送信したのに誰も遊びに来なかった
そういえば　家の灰色猫　三回は踏んだキーボード
「岡本太郎のトランプで遊びませんか」って書いたのに
猫が三回踏んだぐらいで
宛先不明になって戻ってきた　もういいよ

ラグマットの上に座って

岡本太郎のトランプで
灰色猫と勝負した
猫はカードがめくれないので
私が代わりにめくってあげた
黄色いヌイグルミのヒヨコを賭けた
物珍しそうに猫は見ていた

岡本太郎のハートのクイーン
岡本太郎のスペードのエース
（TAROのサインが見えている）
はやく手札を捨てなければと
またくめったのはクラブの4
JOKER出して台札を変える

猫はとつぜんダイヤのキング
ＪＯＫＥＲ驚いて裏返ってしまう
カードの裏は紺色に赤と黄色と黒と白
目がふたつ　渦巻きひとつ　流れていくもの　ぐにゃりとしたもの
（ＴＡＲＯのサインがここにも見える）
カードの縁は金色に光ってる

猫は途中でちょっと席をはずした
私はせっせとゲームを続けたけれど
トランプゲームのルールのことは
最近忘れてしまったと気づいた

そうしたらもう目が回ってきて

そうしたらもう目が回ってきて
岡本太郎のトランプが手もとに残って惨敗した

灰色猫はもどってくるなり
勝負の結果をちらり眺めて
丸い大きなクッションの下に
ヒヨコくわえてもぐりこむ
青いキノコになってしまった

トランプカードをケースに収めて
北へと歩いていったところに
床暖房の入った家に父と母が暮らしていたので
そこでひさしぶりとてもひさしぶり

ウィスキーボンボンを籠に入れて
家族揃ってトランプゲーム
岡本太郎のトランプで
「神経衰弱」をして母が勝ち　得意顔
「七並べ」をして父が勝ち　にやり顔
私はドライアイの目が痛むので
ウィスキーボンボン齧ったら
アリスのように小さく縮んで
北向きの部屋に寝かされていた

一晩中
岡本太郎のトランプで父親が手品をやっていた
ウィスキーボンボンの包み紙を母親が器用に丸めると

灰色猫が青いキノコの傘の下から現われて走り回った
猫は床暖房のある家を探し当てるのが得意なんだな
ここは昔の森の家だから電子郵便だって届かない
北向きの窓の外ではずっと海の音がしていた

「岡本太郎のトランプの絵札でいちばんすごいのはダイヤのキングJOKER
なんて目じゃないよ」と電子郵便を送信する

手の夜

深夜の台所で
細かい傷のたくさんついた流しの前に立つと
ステンレスの光が私の手のまわりを包んだ
水道の蛇口の下に何枚かの皿が重なっている
洗ってしまってもいい　と思った途端に私の手は腕組みしてしまった

あの電話が鳴る直前のかちりという音が聞こえたような気がして
午前二時　眠れないから

印象的な手のことなどを思い出していたのだった
では、その手が今何をしているのかということだけれど
午前二時　その手は何かにさわっているだろうか
コンピュータマウス？　文庫本の表紙？
または歯ブラシの柄を握っている、シーツの皺をのばしている
つまり、見当がつかない　午前二時
その手はウールのセーターのソデにさわっているかもしれない
ビールの空き缶を台所の床に転がしているかもしれない
ただ、皿にさわっている確率はとても低いな、と思った

手はそろそろと手袋をはめて
深夜の街に出かけるかもしれない
（新月の空の下で事件を起こす手

自動販売機の前でコインを数える手
酔ったふりで電信柱に抱きつく手
ポケットの中の拳銃を握る手
携帯電話を川に投げ捨てる手
橋の上を男が走っていく（両手をあげたまま）

手の企みが錯綜している夜は眠れないまま
あの手この手と画策するうちに夜が明けてしまいそうだ
午前二時　私の手は何かにさわりたい、
泡だってくる予感に煽られながら
もういちどステンレスの光の中に立ってみる

愛のシッポ

ラセン状に難しくなっていく
縞模様のシャツが形容できない
貝殻の曲線も指でたどれない
塩化ビニールの記憶溶かして
アイロンの熱が冷めていく
私はサインを消していく　何ひとつ残さず

「朝から気温は三〇度を越えるでしょう」

辞書のように鈍い音をたてて
落下してくる　落下してくる
それは落下してくる昼も夜も
愛についてはは知らないので
卵のように転がりながら
床の上を　狭い路地を
不規則な動きで這い回っていく

「きょうの最高気温は三四度を越える見込みです」

真昼の勾配を下っていくとき
青い花の咲く時間に入り込む

現われる影のなかに佇む人々は
長い長いシッポを揺らしている
あのシッポでバランスをとるんだ
尾てい骨のでっぱりにさわってみる
私のシッポは見つからない（あのふさふさの金色のシッポ！）

「降水確率は明日午前零時までゼロパーセント」

風速をはかるために私は屋上に出る
乾いた砂が流れ続けて
根の浅い植物が移動していく
シッポの長さがたりない種族は
ラセンの時間を跨げない（崩れていく今日の雲の音）

振り返って手を伸ばしてつかんだ瞬間、
するり　とシッポは身をかわして笑い出し
電線の上を飛び去っていく
手のなかに残った砂粒を握って
私はバジルの葉っぱを買いに町に出かけていく

蟻

いっそこのテーブルの脚を取り払ってしまおうか
小さな蟻がきりもなく這い登ってきて　ほらそこ蟻
蟻だから、指先で潰してもかまわないけれど　まだそこにも
蟻、蟻だということになると夏かもしれないが　いったいどこから
蟻の伝ってくる道を捜しても　捜しても捜しても見えないのに
テーブルの上にはなにもない　ポットとマグカップだけなのに
また視界の隅をゆっくりと横切っていくのは蟻だ
と思ってじっとしている　暑い

昨夜はテーブルの脚を抱いて床の上で眠った
起きあがって這い登っていくと白いテーブルの上に出た
誰かの指先で潰されそうになって走って逃げた
だから黒いテーブルを買えばよかったと思っていると
氷河の色のテーブルが溶け出してきた
まもなく周囲は流動するテーブルになって
私は手足を縮めながら流されていった
テーブルのなかに閉じ込められ揺すられながら
窓から流れ出して固い地面に届くまでには
数えきれない昼と夜が交代を繰り返し
いつまでも私はテーブルのなかで
遠い地面に向かって足の爪を泳がせていた

膨張する昼の太陽がアスファルトを溶かしているとき
真夏の夢の底に沈んでいた道がふいに見えてくる
私はそのまままずっと歩いていってしまうだろう
どこにも辿り着かない道を溺れそうな足取りで
そしてときどき思い出すのはあのテーブルの脚のことだ
あんなに垂直なものはきっとどこにもない
果物を切るように涙を流すと
涙は遠い地面のひび割れに吸いこまれて消えた

アウトサイドゲート

緩やかにカーブした道の先に家が一軒
腰を屈めたような低い門の向こう側
夜になると二階の窓には明かりが灯る

コーヒーなんて冷めてしまえば濁った水みたいなものだから
カップに指をつっこんでかきまわして　そうして女は少しずつ
『すぐわかりたいあなたのためのウィンドウズ入門』の上にこぼしてしまった
(あなたのための・すぐわかりたいあなたのための)

『入門』の上に液体がこぼれてはじかれてまた流れていって
門の外をあちこち汚しながら地図のように拡がっていくのもよいが
その地図を辿ってみてもどこへも行くことはできないので
（わからないあなたのための・すぐにはわからないあなたのための）
曲がりくねった家のなかで女はゆうべの金色の雲　と呟いてから
あたらしい飲み物を探すために立ち上がる

ディスプレイの上には「ゆうべの金色の雲」なんて見あたらない
さっきから認証エラーが繰り返されて時間は滞るばかりだし
女はどこから見つけてきたのかワインの栓を抜いている
「…確認しています　…無効です」
肩をすくめて先週染めてみた髪の毛を指に巻きつけながら
ああ無効なんだな、あたしは最近無効なんだな、いつから無効なのかな、

先月からかしら、ずっと昔から無効だった、そんなことは知ってるけど、
ヘアマニキュアってあんまり効果がないんだな、確認してみてよかった
プラスチックグラスのなかにそんな呟きをぽとぽと落としているうちに
認証エラーの番号はまためまぐるしく変わっていき
窓の外ではいつもの犬が鳴き出した

ところで何がそんなに無効なのかといえば
なんといってもあの犬の鳴き声だが
いつでも家の裏の同じ場所に繋がれているらしいのだ
飼い主は隣の男で犬の名前はパイナップル
でもそんなこと女は知らない　パイナップルの鳴く理由(わけ)なんて

女の部屋の時計の針はかさなってはまた別れていく

繰り返される認証エラー
パイナップルの鳴く声
大嫌いな果物なんか犬にでも食われろ
赤いワインのなかで犬も溺れてしまえ
この暗くて眩しい夜はあたしだけのものだから
「…待機中です　…接続できません」
あなたのためのマニュアルなんかわからないんだ
すると突然ディスプレイは真っ暗になる

女の家の門にはその頃小さな事件が起きていた
遠くから自転車を盗んできた酔っぱらいが
泥のついたタイヤごと門にぶつかったのだ
パイナップルがおんおんと吠えだしたので

隣の男は明かりをつけてそっと外に出てみたが
どこで何が起きたのかよくわからなかったので
犬を叱ったりなだめたりして空を見上げると
月に薄い雲がかかっていた
やっぱりこいつは駄犬だな　昔から駄犬だ　悲しい駄犬だ
そういえばゆうべのバラ色の雲　と男は呟いて寝室に戻る

朝の光が　女の家の門に届いて
門には汚れたタイヤの跡がかすかに残る
まだ誰もその門の前を通る人はいない

リモコンソング

戦争なんてたいしたことない
きょうの戦争はアフガニスタンきのうの戦争はアフガニスタン
おとといの戦争はアフガニスタンきょねんの戦争はもういらない

アメリカの郵便局は白い粉末で大騒動
でも「炭疽菌」には泡！　一時間に千人を洗浄できる
「環境には問題ありません」泡
「製造法は企業秘密です」泡

ＵＳＡのゲームソフトなら核だって水洗いできるんだ
エアクリーナーなんかもういらない
海水が画面を洗浄すると　はらもとどおり
核戦争後の地球上にも人類はまた誕生いたします
ＣＭ「私の祖父は痔持ちでした、痔は軍隊の鬼門でした、
　したがって私の祖父は戦争に行きませんでした」

戦争なんてたいしたことない
五〇年たてばもうおわり　一〇〇年たてばまたおわる
新世紀のカレンダーなんて古い宗教の暦なんだ

イスラム諸国の複雑な解説
でも石油なしでは戦争できない　ニホンのヘータイ運ぶにも

低迷低迷景気は低迷　自由の女神の競売競売！
落札するのは　——
ハイヒール爆弾をカブールに投下　スカーフだってもういらない
女の髪と肌と脚は地上の永遠の課題です
CM「私の祖母は植民地生まれでした、大きな旅館の庭に孔雀が歩いていました、
　しかし私の祖母は釜山にはもう行きませんでした」
（コマーシャルの後はスポーツです）

ところでテレビがにがてなことは意外にも広さと速さだって
ニューステーションの久米さんが言ってた
（球場って広いんです　でもこっちで投手が投げてるときは球場全体を映せないんです　とつぜんむこうで誰かが走り出したらあわててそっちを追いかけ

ます　でもカメラがその人をいくら追いかけても速度を伝えることはできな
いんです　だからテレビは「盗塁」がにがてなんですね）
盗塁王は走る走る　走って滑って滑ってすべって
ベースに触れるその瞬間、
ＣＭ「私の祖母は巨人ファンでした」

テレビのリモコンすべりおちて
テレビのリモコンどこに消えた？

（それではＣＭを続けます）
セ・リーグとパ・リーグの区別もつかない私は長いこと気づかなかった
私は巨人の桑田選手と同年齢だった
父は米軍放出物資の歯ブラシで歯を磨いてもいっこうに歯ブラシがへたらない

ので驚いた

母は米軍放出物資のブラウスを着てアンポ反対のデモに行ったが靴が脱げたのは別の場所

そして桑田のスランプは歴史的でした

その夏、とうとう祖母はテレビを消して、巨人軍に電話した

「あのね、私はもう十年以上、巨人のファンなんです」

「ありがとうございます」

「でもいまちょっとね、桑田は調子が悪いと思うんですよ、だからいまは試合に出さないほうがいいと思うんです」

「貴重なご意見、ありがとうございました」

あしたの朝は急に気温が下がりますとあたらない天気予報

テレビのにがてなことは広さと速さとそれからなんだ

こっそり塁から離れたリモコン
どこへ走るのかわからない私
床のクッションに釘付けされた私は見ている
凍えて死なないためには電源を切らないことです
靴下のなかの砂粒の感触、とても神経に障る
なにもかもとても神経に障ってきてオーバーヒート寸前、
CM「私の靴下はつま先が破れていました」
消えたリモコン　消えないテレビ
赤く光ってるスイッチに思いきりのばした足のゆびとどくか

この朝

誰もいないはずなのに
誰か歯を磨いているな

歯磨きといえば歯ブラシと歯磨き粉と
あの青いプラスチックのコップだ

私はこの頃歯磨きがとても好きになった
しゃかしゃかしゃかしゃかしゃかしゃかしゃかしゃかしゃか

きょうもきのうのように起きるのは飽きたな
鳥も鳴いていないしなにもはじまらないみたいだ

もういちど眠りの底にぐっと沈んでいって
足で蹴って浮かびあがってくるしかないな

ああなんだもう浮かんできてしまった

起　き　あ　が　る

もういちど倒れたふりをすれば
ますます形勢不利になる予感

またこの朝を起きあがってしまうしかないな
するとさっそく私は偽者めいてくる

眠っているときにはいったい何が起こっているのか
ほんとはぜんぶ知っている私を毛布の下に隠して

窓のカーテンを開けると
秋晴れの空がすぐそこまで迫っていた

歯磨きは朝食の後、と決めている

足摺り

雨の降らない梅雨に向かって季節が入梅した頃、なぜか（私の）
右足首が痛んだので、右足を少し引き摺って歩いたら
とても自然に左足が痛くなった
歩くと両方の踝が交互に痛いので
自転車に乗って土踏まずでペダルを踏んだら
当然のように右の股関節が痛くなった
そこで雨傘を突いて道路を歩いたら
左の膝がこんどは確信犯的に痛み始めた

この件の発端はいったいなんなのかわからなくなった
私の足を、確かに〈私の足〉だと言い切れないような状況が続いて
はやくも夏は急ぎ足で去りつつあった

私の靴下は確かに私の靴下なのに（私の足が履いていないときも）
私の麻のスカートだって私のスカートだと認知されているのに（たぶん）

それなのに〈私の手〉が〈私の眼〉に映るとき
〈私の関心〉はまるでちぎれ雲のよう
としかたなく私は言う
〈私の足〉の痛み具合は
関心のすべてを〈私の足〉に注がなければ、〈剥製の足〉になってやる

という脅迫の域にまで踏み込んでいる感触だったので

でも、〈私の剥製〉などというものは

どこの博物館にもないはずだし、この部屋にもないんだからと言うと

いきなり浴室の方から何かの気配がしてきた

それともあの、見知らぬ蛸の足、という無言の足のさらなる脅迫に気づくと

足が痛い、というよりは頭のなかの狭い隙間を湿った不潔な雑巾でこすられて
　いるみたいだ

(この部屋が浴室に近いのを、もちろん足だってよく知っている)

(蛸の足は、蛸の口にも頭にも近い、8本そろって蛸に奉仕する、蛸の奴隷そ
　のもので

おまけにいやらしい蛸そのもの！　というわけだ)

もしかすると〈私の手〉との関係や、これはよくわからないのだけれど〈私〉

との関係について、ずっと以前から全然納得できないと激しく思いながら
たとえばバス停への緩い坂道をいつもあんなに急ぎ足で無感情に直進していた
　せいではないかしら
とまたしかたなく言ってみると、こんどはかなりわざとらしく響いた
確かに〈私の耳〉だってよく嘘をつく
昼間は忙しいけれど夜は虫の声を聞いて退屈してる、なんて

散逸したがる私の各部は時々一本の消化管として統合されるときがある
でも、乾かない洗濯物のようにいつまでも曇天の下でぶらさがっていると
湿った潮風が吹いてきて、ついまた蛸のことを考えて気分がよくない
地面に降りて歩行を始めたくなる、そう、歩行を始めなければ
赤いスリッパを縫ってあげるなどと
〈私の足〉を騙す〈私の声〉にはあまり力がない、のが聞こえた

浴槽で蛸が足摺りするから、今夜も風呂が沸かせなかった
沸かしたっていいんだけれど、軟体動物は苦手なんです
あの8本の足の前後のみさかいのない足摺りも、ですけどね
今夜の蛸は紫色で、昨夜の灰色の蛸を食べちゃったみたいなんですよね
灰色蛸はすばやく墨をはいて水中煙幕はったけど
相手をまいて逃げるには場所が必要でしょ
浴槽、なんていう追憶のための場所からは逃れられっこないですよね
誰だってね

凹む夏

今朝も私は凹んでいて、どの朝も私は凹んでいて、凹んでいた朝の記憶のために、今朝も私は凹んでいたが、夢の映像だけはデコボコしないで滑らかで他人も美しい服を着ているし、服を脱いで泳いでいる他人も美しいので、私も凹みながら水に向かうのに、新しく作ってもらった制服が脱げないので、これでは泳げないし美しくなれないという夢から覚めたはずなのに、新しい制服も悪くはない質感で上等だなどと考えていて、晴れた朝を迎える準備は整わない。

晴れた朝に気づいたのは、変装して誰かに会いに行こうと思って、新しい制服を着なければいけないような気がしてきて、最後に着た制服は燃やしてしまったので、昨晩もこの辺りで消防車のサイレンが聞こえたのだと納得して、誰かが親切に新しい制服を作ってくれたのなら、またそれを着てどこかに行って帰ってきて燃やさないと始末に終えないから、その制服の重さもたまにはここちよいと思うことにしたのが今朝だと思ったときで、もうそのときには夢の映像にも似た青い空の下で午後が過ぎていくところだった。

今朝も私は凹んでいて、毎朝私は凹んでいるのに、秋になってもまだ凹む私が、生き残って凹み続けているとはとても考えられないのだが、目覚めてみれば、きっと他人はそれほどに美しくなくて、新しい制服は見つからないのだから、出かけられはしないのだし、眠っているような昼間の部屋は乾いてけばだっていて、夢の映像の滑らかさが消えてしまったことが悲しいのか嬉しいのか、雲の影が山の斜面をのぼっていく光景を思い出していると、窓からの眺めは夕方の公園に続いている。

あまり私が凹むと痛いのではないかと心配して、救急箱から痛みどめを出して枕元に並べながら、今日も生き残っているのは錯覚かもしれないのに、毎晩そのことを確認してから眠ることを繰り返していけば、秋になっても私は生きていることになるのかもしれないけれど、燃やせなかった新しい制服のことなどを思い出すことがあるのかどうかわからないし、まして今朝の凹んだ私のことなんて、何ひとつ覚えていないに違いないと考えて眠ったという記憶で、また朝を迎えようとしている。

壷中天〜川の話

雨上がり、川沿いの道を行く
見慣れている風景は次々に変化する
泥のような水がちぎれた水草を押し流し
あちこちで、白く逆巻く
川は、いつもの名前を失っている
その水量で横幅を広げた川に架かったいくつもの橋
を渡る人の姿は今日は見えない
匿名となった川に、しゃがんで見入っている男

前方の赤い傘はひんやりとした緑の深いトンネルの中へ
吸いこまれるように進んでいく
追い越しながら振り返れば、女の顔は唇の色が薄い
川沿いのいつもの道の夕方だ
(ランニングする男の白いTシャツ、木陰に座る若い女のスケッチブック、
自転車を停める男の子たちの脛の線、散歩する犬の垂れた尾、)
ほんの小さい公園の緑地なのだ
川が流れている　いつもは
今は、川が流している
(泥の色した水を、育ちすぎて腐りかけた藻を、苺ミルクの紙パックを、
おそらく魚の屍骸を、食べ残された蛸を、赤い傘の日常的殺意を
堆積していく汚物のすべてを、材木屋から聞こえていたピアノの音を、)
川は上流から流れてくる、というより

匿名の意志であらゆるものを押し流しているところだ
新聞の朝刊は、もうずっと下流の方で
泥水に呑みこまれ、見出しからばらばらに分解された
(「豪雨」が、「濁流」が、「全壊」が、流れていく
(「阿武隈川」が、「那珂川」が、流れていく
(…無数の川が流れていく
点在する人々は、各々の場所で匿名の会話を交わす
「川は氾濫するだろうか」
「この名前を失った川は氾濫するだろうか」
「角の材木屋は大丈夫だろうか」
「ピアノは2階にあるから大丈夫だろうが、」
「材木屋の材木が流されたときは」
「しかたない、その材木に掴まっていこう」

人々は匿名の川に流されていくしかない、と考えた

護岸工事によって川幅が決められる前から
川にはもちろん名前があった
夜になる前に、人々はそれぞれの家に帰り
そして誰かに少しだけ、川の話をしてから眠った

蛸ならぬ身の私は、今年の夏、湿潤に悩んだ
(部屋の空気の湿度、それに台所の、浴室の)
(あの乾いた、明るい部屋は、陽光に埃の舞う部屋はどこへ?)
(テーブルクロスを裏返した途端に消失した、なんて信じたくないけれど)
(皮膚の毛穴をすべて閉じて、鰓呼吸の訓練でも?)

晩夏、各地の河川の氾濫については報道しきり
TV画面から泥流が部屋に溢れてきそうになったので
避難所に指定されている公園に出かけた
名前を失くしていた川はいかにも都会の川らしく
すでに泥水の量を減らしている
(野球場の地下のプールに流れ込むようになっている)
人の姿は少なくて、橋の上を何台か車が通っていた
(車なんて次々流されて、海に潜って鰓呼吸の訓練をしていればいい)
材木屋の材木は濡れていた
1階のガラス戸の中には蛍光灯がついて
木材を挽く機械の音が妙に静かに響いていた
公園の池からはまた湿潤が立ちのぼり
木々が湿潤な呼吸を繰り返し

土と落ち葉のあいだには、湿潤な水溜まり
湿潤なベンチ
誰もいない　静かだ
鴉も鳴かない　静かだ
（ここは、どこだ？）
（壷中天？）
（ここからどこに？）
髪を垂らした釣り人が池から離れて歩き出した
（どこに向かって？）
梢の上の雲が明るみはじめた
たちまち降りかかる湿潤の夏の蝉の合唱の中から
一羽の灰色の鳥が落ちるように川の水面に向かう

天気図の中では、確かにあの日本列島が
不安な薄い雲に流され続けているのが見える

新明解

深夜、眠れないので私はベッドを動かした
すりきれた絨毯の下は、固い土だった
冷えて、固くなった滑らかな土だった
深夜、私は汚れたスプーンを使って
少しずつ土を削りとっていった
私だけの墓穴が欲しかったからだ
その穴は「新明解」という名前になった

最初は「明快」という名前の穴だった
ベッドの上で眠れないときは
生きるにも死ぬにも明解さが欠けていて
だからこの場所は、眠るにさえ適さないのだと思うから
ベッドの下の冷えた土の穴の中へなら
私の望むままの明解な朝と夜、明解な生と死が訪れるはずだと
ところが、毎晩、土を削っていくうちに
墓穴は不明瞭なかたちに変化してきた

確かに私はよく何かを間違える
それは、確かだ

「明解」を過度に愛好する者は

「明解」を過度に嫌悪する者と
同じ穴のムジナ、というより、やはりヒトだろうか

気がつくともうその穴の中では
ユークリッド幾何学が何度も定義しなおされ
見たこともないはずの色鮮やかな熱帯魚が泳ぎ
散乱する花札の桐の鳳凰に雨が降りかかっている

私はスプーンをその穴の中に投げ込んだ
ベッドを元の位置に戻して穴の入り口をふさいでしまった
寝ても死んでも明解な出口を見出すことができず
こうした穴から別の穴へ今夜もさすらい歩いている亡霊たち
私の唾液で汚れたスプーンだけは、どうか返してくれ

世界の額縁

「この絵にはどういう額縁がいいんでしょうか」
額縁屋さんに相談を持ちかけたら
その絵のことは額縁屋さんがぜんぶひきうけてくれた
私はなにもすることがなくなって
ただいろいろな額縁を眺めていた
額縁がたくさん架かっている額縁屋さんで
額縁でいっぱいの額縁屋さんで

「薄い緑色がこの絵に使われていますから、いっそそれにあわせても」
でもこの絵は油絵のようだし
女のひとが座っているその背後に見えている海は
どこかわからない知らない国の風景で
だから麻布の額縁は似合わない
そう思って額縁屋さんの額縁を眺めていた
(木でできた額縁、麻布を貼った額縁、金色に塗った額縁、
細い銀色の額縁、プラスチックの額縁、彫刻のある額縁)

額縁世界の額縁のなかには「ミッキーマウス」や「記念切手」
額縁世界の額縁のなかには「ミニチュア急須セット」や「オルゴール」
額縁世界の額縁のなかには「新聞記事」や「猿の惑星」
額縁世界の額縁のなかには「赤と黒」もある

額縁世界の額縁のなかにはまだいろいろあつて、
「マトリョーシカの入ったマトリョーシカ」
「紫色のふちどりのある美しい雲のしたを銀色の小川が流れていく」
「アフガニスタンの仏像は破壊されたのではない、恥辱のあまり崩れ落ちたのだ」(*)

この絵の尖塔は、モスクのようにも見えるけど、

額縁の世界を知らない私は
額縁世界の額縁屋さんではじめてその絵を見た
知らない女のひとが描いたその絵の額縁のことは

額縁世界の額縁屋さんにまかせておいて
「額縁をかさねたほうが絵が映えますね」
麻布の額縁と淡い金色に塗った木の額縁を
額縁屋さんは手早く組み合わせた。
美しい飾りがある金色の額縁のなかに
直線で囲まれた麻の額縁のなかに
目を凝らす

額縁世界の額縁のなかから
海と地面が　モスクが　女が　白い帆布が
薄い緑色の翳のなかから
建築が　寺院が　回廊が　鐘楼が

犠牲と　供物と　伝説が
砂漠と　草原を越え
地上と　海を渡って、

額縁の外には、
破壊された　そのときから
破壊するために　生まれてきた〈私〉が
破壊され続けた〈私〉が
海と　地面と　女と　白い帆布から　隔てられて、
建築と　寺院と　回廊と　古い伝説から　隔てられて、

額縁屋さんの窓の外には雨の気配が漂い始めて
私の頭のなかではなにか弾ける音が聞こえ続けた

＊モフセン・マフマルバフ著　武井みゆき、渡部良子訳の本のタイトル

クリスマス週間

1

曇天の下で過ぎていく街のクリスマス週間　偶然みたいな電話で待ち合わせる
週末のエレベーターは45階へと急上昇（気圧配置も変化している）　イルミネ
ーションに彩られた廊下をゆっくりと泳ぎきって星のかたちのクッキーやチョ
コレート菓子を眺める　あかるい照明の外側で夜はしだいに濃くなっていく
そういえば半年も会わなかった人だ　3杯目のコーヒーを飲んでしまっても
話はとりとめなく単調によせてはかえしている　眼のなかにはひりひりとした
眠気が訪れて　窓の外では雨が降りはじめる

2

家に帰ると服には疲れが溜まっていたので、私はセーターを脱いでそのなかに別の空気を入れようとして、肩のところをつまんで波のように揺すってみた。クリスマスツリーの天使は地上の女のセーターなんかどうでもいいと思っていて、コートや靴が濡れないように都会には地下道があるわけで、用心深く傘を持って外出するのは馬鹿みたいだという証拠には、バッグのなかの折り畳み傘は乾いたまま私の狭い部屋に戻ってきた。(お風呂沸いてるわよという母の声)重くなってぐんなりしているのはどういうわけかセーターです、まだ袖口の擦れていない新しいカラシ色のセーターでした。

3

夏に死んだ叔母は、クリスチャンではないのに、クリスマスの日だけ教会に行って賛美歌を歌っていた。ホスピスでは聖書を読むように勧められて、努力して読んでみたがずいぶん野蛮な話が多くて差別的な表現が多くてびっくりした、と言っていた。やがて涼しい病室のなかで私は従姉妹たちと袖のある服を着て立ったり座ったりしていた。叔母はブツダンの管理人であった。その叔母が死んだのだからブツダンはウチに置くことになるわけだ。ということにようやく母は気づいて、ブツダンの本を読んで勉強したり、ブツダンのカタログを眺めたりした。

4

お風呂に冬至のユズがぷかぷか浮かんでいる。手で沈めてもユズはまた浮かんでくる。ぷかり。クリスマスの三日前には冬至のユズ湯に入って、天皇誕生日には靴下を買いに行って、クリスマスイヴには鍋を囲んで（叔母はいないけど）、宗教がない、というのはそんなことなのか、ユズはまたぷかぷかと浮びあがってきて、私も甘い匂いのお湯のなかに体を沈めながらまたぷかりと浮かんでしまったりする。手のなかのユズはふやけてやわらかくなっていく。ぷかり。夜になると空には気まぐれな星が見えてあれは金星、坂道を歩きながら呟いている。

酸素スル、春

日曜日の朝、目が覚めてみると
背中やわき腹がトコントコンと痛くて
ああ、オカアサンと胃のなかで呟いた
胃がドキドキしてこないうちに起きあがる

母が目を覚まして起きて台所のほうへ行く足音がした
そう、朝はやっぱり起きたほうがいいんだ　きっと
私も部屋から出て台所のほうへ歩いていった

そうだね、アスパラガスを茹でようか

テーブルの上に並んでいく
アスパラガス、苺、パンと牛乳
ダイニングキッチンに座って家族で食べる朝食

ハイサンソ3Cという機械が家にきた
部屋の空気を使って酸素を作るらしい
家の中心に四角い箱が据えつけられて
箱からチューブが長く伸びている
起きてきた父が食卓に移動すると
薄い緑色のやわらかいチューブが床の上を揺れ動く
猫は器用によけて通るがひとは時々踏みつける

アスパラガスの濃い緑色はとてもおいしそう
床の上の細いチューブを軽く跳び越えて猫も食卓へやってくる
眩しそうな眼の色をしてヒゲの付け根をふくらませながら
猫の顔って顔だけ見てると変な気もする
（鼻から両耳にチューブをひっかけて父もおかしな顔だけど）

電話が鳴る
「いやどうも、こんどはかなりヒドイことになっちゃって　心臓はまえからなんですが、肺がね。まあそういう年齢になってしまったわけですねえ。ええ4月中にそれは決めておかないと、まあウラゾノさんにでも代わってもらおうかと。ドーモ　モーシワケナイですねえ。え、豆乳がいいの？　国産大豆使って？　家で作ってるんですか？」

空になった朝食の皿から目を上げると
テーブルの向こう側でブラブラと揺れている
輪っかになったチューブの先端が椅子の背から垂れ下がって
オトーサン、酸素スルの忘れてる
私は食後の錠剤とカプセルをコップの水で呑んだ
母は新聞を読んでいた

昨夜は雨が降って気温は上がっていた
マンションの共有廊下にでてみると
桜の花びらが駐車場の青く光った車の上にも散っていた

酸素スル日々、
と告げてみれば

酸素スル日々、
テーブルの上をゆるやかにすぎていく
酸素スル家族、
一粒の苺を残して
窓を開けて
舞い上がるテーブルクロスのように
空へと向かう

あの雲の上から垂れている、猫のシッポ

手の早さで進む、火の早さで捉える

〈私は生や死がエクリチュールに対して行なう反抗について考えていました。というのも、エクリチュールは手の早さで進むからです。でも生も死も稲光のようなものです。火（のような激情）が私たちを捉えます、不意に捉えます。エクリチュールははるか後方にあります。心焦がす瞬間をどのようにつかまえるべきなのでしょうか。どのように火を手で捉えるべきなのでしょうか。〉

近所の図書館からの道をゆっくり自転車で戻ってくる途中、低い金網で囲われた庭先のオレンジ色の花の脇を通りすぎたことを私はたいして気にとめなかった。辺りはもう夕方で、花の色も輪郭もはっきりとしてはいなかった。

どんなに小さい図書館でも、図書館には特有の時間が流れている。読書という行為の作り出す人それぞれの個別な時間が図書館という建物の内部を静かに満たしているためだろう。私はその図書館の時間にまだ心を残しながら身体をひき剥がしたばかりで、自転車はなだらかな坂道を大きな通りに向かって下っていくところだった。昼間はひどく蒸し暑かったから、快適な空調のあの図書館に行くことを思いついてよかった、とそのとき私はごく単純なことを考えていて、以前から読みたいと思っていた本が何冊か自転車の籠に入っていた。

そこで、花の匂いに気がいたときには、私はもう花の脇をとっくに通りすぎた後だったが、その強烈な甘い匂いは確かに花の匂いなのに、視界にはコンクリートの塀と電柱しか入ってこなかった。自転車のブレーキを握りながら、私は後ろを振り返った。低い金網はもう見えず、どこにも花など咲いてはいないようだった。引き返そうか？　一瞬私は片足を道につけて迷ったが、道路の幅はとても狭かったし、それにいったい引き返してどうするというのだろうか。花の匂いは微妙な風向きのせいで私の自転車を追いかけてきたが、私が自転車の向きを逆にして引き返せば、きっとまた同じように花の脇を通りすぎてしまうに決まっているのだ。もしかすると、今度は私はオレンジ色ではなくて白い花を見るかもしれないし、それどころか花など見つけることさえできないかもしれない。いつも通っている道には本当は何があるのだろう。しかし、この日常のなかの奇妙な印象の出来事は、出来事と呼ぶにはやはり何かが欠けているのかもしれないと思いながら、家に帰った。

でも、もしあのとき引き返していたら？　というよりも、私はそもそも何のために来た道を引き返そうと思ったのか。甘い花の匂いと咲いている花の色や形、同時性を奪われた嗅覚と視覚のあいだに脈絡を取り戻して、花の「存在」を確かめたかったのか、それとも、稲光のような何かに不意に捉えられたとでもいうのだろうか。

この出来事をもういちど思い出して、それ自体を（詩を）書くことの寓意として再構築してみたくなったのは、図書館から借りてきた本のなかで、冒頭の文章を読んだからに違いないが、実際には物事の順序は逆だったと考えられる。つまり、図書館で本を読みながらいくつかの文章に遭遇するという体験が先にあって、（そこで）帰り道に花の脇を通りすぎてから花の匂いがするのに気がつき、なぜかそのことを記憶した、という具合に。

書くことがたえまないプロセスであるとすれば、それは手の早さで進んでいくが、同時に手の早さでしか進まないという特質をあわせもっているに違いない。だが、物事が訪れるとき、私たちはただ受容体として、その場所に居合わせることしかできない。その場所とはどんな場所なのか、知らされることもない。現実の世界にあっては、特別な場所や時間など、誰にも用意されてはいないのだ。それなのに確かに何かが訪れて、受容体に過ぎない私たちの感覚と思考を更新していったように思われる瞬間がある。その何かは「詩」のようなものかもしれないが、決して証拠を残さずに、また次の瞬間へと移行していく。「詩」のような何かの訪れるこの瞬間を確実に捉えるには、どうしたらいいのだろうか。偶然、羽虫が一匹、周到に張り巡らしておいた蜘蛛の巣にひっかかるのを待つのではなく、もっとずっと直截的な方法で。

〈それに、手で素早く火を捉えるのは私たちにとって得なことです。なぜなら、手で素早く火を捉えれば、火傷しないからです。火の早さで捉えられた火、これこそ作り出す必要のあるものなのです。書くためには。〉

だが、「詩」のような何かの訪れを誰でも感知することがあるのだとすれば、「詩」を書かなくても、「詩」のような何かが訪れる日々を生きれば、それで充分ではないだろうか。「詩」のようなものと「詩」はどのように違うのか。「詩」は果たして「詩」のようなものとともにあるのだろうか。それとも「詩」

とは「詩」のようなものが言葉を獲得して覚醒した、そのかたちなのだろうか。

ところが、「詩」と「詩」のような何かの関係は、パラドックスのなかにしか存在していない。「詩」のような何かは、実は「詩」に似てなどいないし、「詩」のような何かの延長線の上に「詩」が生まれるわけでもないのだ。そのことは「詩」を「書く」という行為によってしか、確かめることができない。だから、「詩」はやがて、書かれはじめてしまう。そして、そのとき「詩」のような何か、捉えどころのない曖昧な瞬間は「詩」とは似ても似つかないものになって遠くへ去っていく。

現実のように見えるものが幾重にも私たちを取り囲んでいるので、そのなかにあっては、「詩」を発見することも素早く捉えることも、容易ではないことのようだ。けれども、またそれも見せかけにすぎないということ。火の早さで別の瞬間へと燃え移っていく火を、最小単位の時間で、その火の早さで捉えれば、決して火傷することはない。それが「書く」という作業の開始であり、おそらく「詩」もまた同時にはじまるのだ。

〈　〉は、エレーヌ・シクスー「一九九一年十月に…」（松本伊瑳子訳）より引用。

編みもの、そして書きもの

最初の道具は、先端がインコの嘴のように曲がった針だった。少なくとも私は、そんな風に記憶している。その、「かぎばり」という名前の針は、日々、何かを編んでいるようだった。例えば、ストール（花のモチーフは正方形に纏められ、正方形の2辺に、等辺の三角形のモチーフが繋がる、その三角形から鎖状に編まれた紐の先端には、僅かばかり残った毛糸で作られた小さなボンボン）、あるいは、クッションカバー（青と白の市松模様、同じパターンの膝掛け、その周囲はやや不器用な丸い飾りで縁取られている）、そして、中心から丸く、渦状に編まれている黄緑色の帽子、それに桃色のカーディガン（私はあまり着なかったけれど、ウサギが1匹か2匹、編み込まれていたかもしれない）は2本の棒針で、光沢のある丈夫な木綿糸のチョッキとともに、（その頃、私はかぎ針による「鎖編み」と「細編み」を習得しつつあって、黄色の木綿糸を長々と鎖状に編み、引き返して「細編み」、その紐を「リボン」と呼んで、スカートのベルト通し――それもまた、太い木綿糸をループ状に留めつけたものだったのだろうか――に回し入れたが、後にはその黄色いリボンは教科書や筆箱をまとめて縛るのに使われ、そのうち、道に落としてしまったらしい）、細い赤い毛糸は固く固く巻かれて、それは「毬」と呼ばれ、畳の上でバウンドし、私が糸を素早く手繰ると、猫はジャンプして、毬を追った後、私の足に噛みついて踵の摺り切れた白い木綿の靴下を齧った。

赤い（黒い）ランドセルが、次第に身丈に合わなくなると、私（たち）は、それぞれ肩に背負うことのできる、中綿の入ったキルトの袋に体操着や交換日記を押し込んで歩いたが、雨が降ると布製の袋はたちまち濡れてしまうので

（湿って凸凹に波打ってしまったノート！）、文房具屋でビニールコーティングされたカバン（私が選んだカバンには、ビーグル犬、スヌーピーの横顔がはっきりした黒い線で描かれ、「彼」はグレイの背景の前面で、エメラルドグリーンのとっくりセーターを着て、「何か言っていた」が、何を言っていたか？　その綴り字は、まだよく読めなかった）を肩にかけて、歩いたり、自転車に乗ったりした。私（たち）は、机を並べた不安定な舞台の上で、金色の冠やワイン色のサテンの余り布で仮装し、ボール紙の月の光の下で短剣の鞘を払い、お芝居が終わると、教室の隅の箱の中の蚕が繭を作り始めたのをおそるおそる覗き込み、晴れた日には屋上へ上って、ゴムボールを弾ませたり、虫眼鏡で太陽光線を集めて黒く塗り潰した記号を発火させようと試みたり（太陽ヲ見ツメテハイケマセン、絶対ニイケマセン）、それから音楽室でいろいろな楽器に触って、（オルガン、アコーディオン、ギター、フルート、クラリネット、ほんの稀には「先生のグランドピアノ」の鍵を開けてもらうことも）、音楽も学んだ。

放課後（という時間が、むろん誰かの家に遊びに行くために、それからまた自分の家へ、少なくとも夜になる前に帰り着くために、設定されていたが）、私たちは古びた木造の借家の庭で薄い緑色のブドウを収穫し、夏の終わりの記念撮影をした後は、すぐに冷たくなる風に負けないような衿のついたジャンパーを着て、自転車で他所の家へ、――私は当時、「2段ベッド」に憧れていた、だけでなく、私の家にはない（にもある）さまざまなもの、さまざまな空間、猫や犬、そして私によく似ている（誰一人として〈私〉ではない）、〈私たち〉を見聞したがっていた――遊びに行って、たったひとつのことにいつも頭を悩ませた。次ハ何ヲシテ遊ブ？　私たちは、小さな家の形のケーキを焼いて、（甘いピンク色の色砂糖でコーティングされた壁、板チョコとウェハースを並べた屋根）、一緒に写真を撮ったのだが、そのとき私は臙脂色と緑色と紺色と白の縞のセーターを着ていたことを覚えているけれど、その写真はもう失くしてしまった。

それが、「最後の写真」だったのかもしれない。翌年、あるいはその翌年、私（たち）は、「標準服」（ダカラ、ソレハ、「何」ダッタノカ？）（勿論、ある種の既製服の組み合わせ、そしてその集合なのだが）（ミットモナイ制服、ミットモナイ身体！）を着ることになって、選択できるはずもない人生の選択を選択させられるために学校へ通ったが、その場所にあっては、左手にかぎ針を持ってさまざまな色合いの糸を編むことは認められなかったので、右手に鉛筆を握って、私（たち）は、数学、（＝anser!=∴）、英語（I am a girl, I am a student, We are …）、「作文」を学ぶと同時に、「自己否定」という難しい科目を学ばされた。特に、「作文」のなかで「自己否定」するのは、とても難しかった。（ダッテ、「自己」ッテイウ字モ、マダ上手ニハ、書ケナイノニ…）（コンナニ自己否定シテイルノニびすけっと1枚モデテコヤシナイ！）、現在に至るまで、私はそれを上手にすることができない。

暗く翳った谷底の岩に座って、七色の糸でリボンを編んでいた少女は、しかし、事もなげに、言い放った。わたしにできることはこれしかない、そして、このリボンが地球を一周する前に、本当の闇がわたしたちを包んだら、そのときはあなたの持っている糸をわたしにください、色とりどりの糸を、なるべくたくさんの糸をください。私は、彼女が充分な速度で編んでいると思ったので、（木製のかぎ針が糸を引き抜くとき、かすかな擦過音が聞こえる、リズミカルに、決して乱れることなく）、色とりどりのさまざまな長さの糸を彼女に託した。彼女は、右手に針を持ち、左手で糸を手繰り続けた。

書くことと編むことは、比喩のレベルで相同性を語られるが、編むことと書くことは、肉体的に、まったく同一の作業のように私には思われてならない。書かれつつある文字は、手暗がりでよく見えない、（それが「書かれてしまう」まで）。そしてまた、その作業に没頭しているあいだは、いつのまにか背中を丸めていることにも、眼が疲れていることにも、シーツの上に晩秋の光が晴れやかに降りそそいでいることにも、急に風が強くなって夜の窓を揺さぶっていることにも、気づかないだけでなく、歌を歌いながら編むこともできるはずだし、もしそうしたければ、その間に家族や友人と会話したり、あるいは陽の当たる窓辺で、お茶を飲みながらでもできる作業であるにもかかわらず、その作業がある程度はかどれば、（モウ1段、モウ1行）、必ず「ある時間」が訪れてしまう、つまり、まったく目的意識を離れ、（ワタシハ、まふらーヲ製作スル、タメニ…）、しかもその作業の中で、自己放擲する、その時間だ。

道具としてのワードプロセッサーは、かぎ針よりは、2本の（あるいはそれ以上の）棒針に似ている。ただ、糸端を見つけて（糸の分量も正確には知らぬ間に）編み始める、糸が切れればまた別の糸端を探すという編み物ではなく、まず、ある程度の「完成図」を予測して（設定し）、そして糸の色や、太さ、長さを決め、「ゲージ」を計る（きつく編むのか、あるいは緩く編むのか）、模様はどんな模様か（伝統的で単調だが、美しい模様、あるいは…）（編み上がったものに、あとから刺繍するか、そして…）（いくつかの編み目を「休めて」おくための「縄編み針」があれば便利だが…)、しかし、そんなことを考えているうちに実際の作業はもう始まっているのだから、「すべてをほどいて最初から編み直す」前に、先へ進もう、(いくつかの綻びを発見しても、それは「裏側で」うまく「始末」すればよいことだ、もうその部分は何回か「ほどいた」ような記憶がある、後から繋げてもいいし、繋げなくても)、もう少し先へ進んでもいいだろうか。

以前、ある職場で、若い女性が黙ってワープロの画面に向かっていた。初老の男性がその側を通るとき、彼女にこんな風に話しかけた。自分もワープロを打つことはできる、しかし、「ワープロで文章を書く」ことはできない、「ワープロを打つ作業」ばかり気になって。そもそも、「ワープロで物を考える」ことは、できるんだろうかね? 彼女は、ワープロの画面を見つめたまま、曖昧に、肯定でもなく否定でもない返事をしたが、今なら、私は彼女に代わって、次のように答えるだろう。そう、「ワープロを打つ作業」は、編み棒を動かすのと同じ、始めてみれば誰にでもできるし、それに習熟することもできるのだけれど、私が奇妙なことだと思うのは、こうしてあなたと話していてさえ、続けようと思えば続けることができる、私は「ワープロで文章を書いている」あいだ、結局「他のことばかり考えている」のではないかという気がしてきます。私がワープロと（ワープロが私と）問答をしながら、時によっては、私より先に考えてしまうので、私自身はいつもいつも遅れてしまうような気がします…。（以前は教職に就いていた）初老の男と、（大学では歴史を学んでいた）若い女は、偶然拾い上げた糸口、物事の端緒を、また取り落としてしまった、というように黙り込んだ。窓から見える空は、今日と同じように晴れていた。

　もはやほとんど光の届かなくなった谷底の岩に腰かけ、少女はリボンを編み続けていた。彼女は、もう半ば視力を失っていることに、私は気づいた。それでも、以前と同じように、右手にかぎ針を持ち、左手で糸を手繰っていた。私は彼女に話した。以前、考えたように、やはり「書く」ことは、私の人生には何の関わりもないように思える、そんなはずはないとも思えるが、気がつくと私は再び同じ地平に押し戻されている。地上の空では、太陽が膨張し続け、夜空は、減ってしまった、などと。わたしは、もう役割を終えたいと思う、彼女はそう言って、手を止めた。わたしにはもう、糸の色もよく見えないし、ただ細かったり太かったりする糸を手探りで繋いで鎖状に編んできたけれど、地球を3周半もしてしまったそのリボンの端は、いったい地上のどこで行方不明になってしまったのか、誰がその端を別の誰かに渡しているのか、わからなくなってしまった。わたしはこの編み物を、いったんほどいてみたいと思う。もういちど編み直すのは、本当は易しいことなのだから、最初の糸口を見出すことに比べれば、編み直すのは易しいこと（マフラー《難易度★　製作日数各2〜3日》）、それは本当は易しいことなのだから。

私たちは、長いリボンをほどいていった。

その糸口を見出して、再び編み直す時間と場所、誰にでも保証されているはずの（誰にも保証されていない）時間と場所について。

後に記憶されるのは、ただ、東京でしばらくのあいだ、秋晴れの乾いた日が続いた、私は青いジーンズを洗濯して干した、ということだけ、かもしれない。

あとがき

この詩集は、詩誌「トビヲ」、詩誌「００」、詩誌「エメット」、そして個人誌「遠足」などに発表した詩から編まれています。

第一詩集『生姜を刻む』（新風舎）を出してから七年がたちますが、そのあいだ私は幾篇かの小説を書いて詩にもどったり、一篇の詩を書いてからまた小説の方へ向かっていったりということを繰り返していました。それらの痕跡をとどめておきたいと思い、まとめたものです。

このささやかな詩集の刊行をお引き受け下さった七月堂の知念明子さんに感謝いたします。

――二〇〇四年十一月　　川上亜紀

三月兎の耳をつけてほんとの話を書くわたし

三月兎の耳をつけてほんとの話を書くわたし*

ちょっと待って
地震がくる前にほんとのことばかり書かなきゃいけない
ほんとのことばかり言っても誰も聞きたがらないんだ

花瓶のなかの黄色い菜の花がテーブルに散っている
明け方、微かな地震で起きると空は白く濁っていた

朝めがさめると、あなたのことを考え、

考え、るので、頭のなかのツル草がどんどん伸びてしまった
(ツル草を刈るための道具がいる)
きのう、わたしの母親だというひとを殴って、
椅子を床に叩きつけて、いくつか傷をつけてしまった
(茶色のクレヨンを探して床に塗る)
そのうえ、カーテンにぶら下がって怒鳴ったので、
窓の上の壁のカケラが、ぽろんと絨毯に落っこちてきた
(壁を拾ってとりあえず物置のなかへ)

ほんとのことは誰も聞きたがらないので
「いちにち五分間しか可愛くない猫のために五キロ痩せた話」の前には
「夏の終わりにあなたに会ってわたしは嬉しく楽しかったが
　家に帰るとさみしくなってとうとう猫を飼ってしまった話」があることも

誰も知らない（退屈な話だね、と猫がクシャミする）

二〇〇二年の暑い夏に体重が減ってしまったのはつまらない人災と猫の避妊手術によるものかというとそれだけでない　まだ若い従弟がとつぜん死んだ　月に手が届かなかったので梯子を倒してしまった　母はその朝すぐに羽田空港へ向かった　わたしは家で父と留守番していた　父は黙って台所でなにかゴトゴトやっていた　それからわたしと父とで手術後の猫をひきとりに行った　猫はじつにおかしな具合に包帯を巻かれて怒っていた　夜になってから父が弔電の作文をした　わたしはそれを電話で読みあげた（その頃父の肺癌はまだ見逃されていた　わたしが父親の肺のCT写真を見せられたのは翌年の春だった　父の兄が来て苦い顔をした）

二〇〇三年の涼しい夏には父親が治療を終えて家に帰ってきた　S市の大きい

病院の広い部屋で看護婦さんたちに大事にされたので思っていたよりいい男になって戻ってきたのだ　蒲の穂を写生したいと言っていたが花屋には売っていなかった　そこで若いときのように豪華なカレーを煮込んだ父はカレーはやはり男の料理にすぎないことを認めた　カレーのルウを入れたとたんにインドへ至る最終的な料理だと言っていた　最終的な、などと言ったのは主治医のTが治療がうまくいったとしても余命は一年だなどと言ったからだと後で思った
（父はニコチンという物質について平凡社の百科事典で調べていたが自分が過去に吸ったすべての煙草の銘柄見本をとり寄せることはあきらめた　煙草をきっぱりやめたのはもう十年近く前の夏の朝に脳梗塞で倒れたときだ　わたしにとっての事件はともかく
父が煙草をやめたということだった）
秋には救急隊員が六人も狭い玄関から入ってきて「娘さんですね」とわたしを

とりかこんだ　オトーサンの生年月日は、オトーサンの心拍数は、オトーサンの呼吸数は、オトーサンの酸素の値は？　本人に聞いてほしいと答えた　父は寝たままであれこれ説明していた　六人の男は担架を下に忘れたまま酸素ボンベと血圧計を持って家にあがってきたが帰りがけには酸素ボンベを玄関口に忘れていった「娘さん、玄関の酸素ボンベは救急車のものなので急いで持ってきて」と走らされた　救急車は救急車通りと呼ばれる通りをまっすぐ走っていった

この三年間、わたしはなにもしていないのに忙しい
そして毎日同じことを考えていた

五円玉のようなほんとの話が溜まっていくから
まんなかの穴に糸を通して結んで吊り下げていく

ああ、ほんとの話が百は溜まっている！
（せめて五百円玉と交換してしまいたい）

二〇〇五年にはわたしの体重はすっかりもとに戻った
猫は優雅に五歳を越えてさらに逞しくなるつもりらしい
それでも誰かにもっとほんとの話をしたくてたまらない

昔読んだ本のなかでは、
ひとは街角を曲がるとひとに出会って
そこでほんとうに大切な話だけをしていた
昨晩のわたしのように散文屋さんに電話をかけて
どうでもいいひとたちのどうでもいい話なんてしていなかった
（散文屋さんは誰彼のことをほんの少しだけあれこれ言った）

あなたの野心には縦、横、高さがあるように見えるが、
わたしの望みには幅さえなくて青く拡がる布でもなくて、
春先には粉雪のように砕けてちらちら頭上に舞い降りてくる
この世でかなう望みなんてないと兎の耳でひらきなおる
学校などに通って全自動洗濯機を通過したように
漂白されてウラガエシになって出てきたのも
いまでは昔の話だと思うようになった

ほんとの話をいくつかしたつもりになると
またそこからほんとの話が枝分かれしていって伸び放題のツル草になる
でもぜんぶほんとの話だ、これからはもうほんとのことばかり書くんだ

頭のなかのツル草は伸び放題
三月兎の耳をつけて毎日ほんとの話ばかりするので
詩も書けないしあなたにも会えない

それでもこれはほんとの話なんだ

三月兎の耳をつけてほんとの話を書くわたし**

ほんとの話はまだ溜まっていた
五円玉のようにまんなかに糸を通して窓辺に吊るしておいたのが
耳障りな音をたててあとからあとから床に散らばりだしたのだ
拾い集めて和菓子の箱のなかにしまっておくことなんてもうできない

夏の終わりに東京を襲った台風は
中野と杉並に局地的な被害をもたらしたと新聞が報道したので
Jさんが母のことを心配して韓国から電話をかけてきた

わたしは善福寺川が氾濫するのをテレビで眺めていた
三十年前には川は毎年氾濫していたので
「床下浸水」と聞けば子どものように嬉しいのだ

そうこの三十年はなかったことにしてもいいのかもしれない
まあだいたいのところさしつかえはないような気がしてきて
うまく説明できないがわたしはまた同じところに戻ってきていた
(五円玉だけではなくて五十円玉にも穴が開いているのはなぜだ)

阿佐ヶ谷のカミキタ総合病院の若い病棟医のM君がまだ昼食を食べていないの
はあなただけじゃないんだと食事抜きで検査を待たされて苛々しはじめた父に
向かって叫んだのは、九月の台風が中野と杉並に局地的な被害をもたらして去
っていった翌日の午後四時半だった　腹を空かした男たちは二人とも苛々して

いた　緊急にCTを撮らなければ命にかかわる患者さんがたくさんいるんです
よとMは父を説得しようとした　それでもわたしがこのように長く待たされて
いる事実にかわりはないと父は主張した　それじゃ明日にしますか、とM君は
言った　父はしばらく黙っていたが、ここまで待たされたんだからきょうやっ
てもらいますよ検査部は五時に閉まるというんでしょう、と言った　途端に車
椅子を押して大柄な看護士が迎えにきた

この台風はなぜ中野と杉並に局地的な被害をもたらしてすぐに去っていったの
か
この謎めいた台風はのちに歴史に名前を残すのではないか、と思われる
わたしはトトロの猫バスのストラップを携帯電話につけてみたが
翌朝のカミキタ病院行きのバスはタラップが雨で濡れていたので
滑って転んで怪我をしたおばあちゃんが足からほんものの血を流していて

後ろの座席からアノラックを着こんだ紳士がポケットティッシュをさしだしていて
運転手は、ダイジョーブかいおばあちゃん、ああだけどこのひとは自分で転んだんだよ、ウチの会社のせいにされちゃ困るよと大きい声で言いながら、水浸しの道路を慎重に進んでいた
空は銀灰がかってなにもかもが幻想じみて、それもトトロの猫バスではなくて
やはり子どものころに読んだ童話のなかの情景に似ていた

十月のわたしの誕生日、
わたしはカミキタ病院の裏側の出入り口に向かってカーブした道を急いで歩いていき
病院をでて駅に向かっていく三人の白衣を着た医療スタッフに軽く会釈されたので

あわててこちらも会釈をしたあとでいったい誰と間違えられたのだろうと首をかしげたが
夜間出入り口で名前も書かず面会のバッジもつけずにエレベーターにのったとき
そのエレベーターは内側に鏡が貼ってあるのでそういえばわたしにも「顔」があったことを思いだした

物事は急速にキタへ向かっていた、もうどうしてもキタへ向かっているのは誰のせいでもないがそれならばいっそキタキタへ、という展開はわたしにはわからない、納得しないですね、キタキタはやめてほしいですね、キタキタということならばわたしはこの件を降ります、と叫んだ
(三十五歳で山から降りてくるまであのツァラとかいう男はなにをしていたんだろうか、だがずいぶん若くて降りてきたんだな、そうして誰にでも威張っ

て説教しやがって、と父は言った）
わたしの母親だというひとは三階の看護婦長をずっと事務員だと思いこんでいたのでそれでこんなことになったのかもしれないがあの婦長を相手にしても無駄だ、と菓子折りを婦長におしつけて、いま事を荒立ててはならないとキビシクわたしに命じたのだった
十一月、わたしの父親はキタキタ大学病院へ小包のように送られてしまった
一週間後には左肺に気胸がおきたとナースステーションから連絡がきた

キタキタ大学病院はS原の台地の広大な敷地に建っている
三十年前にもわたしはキタキタ大学病院に行ったことがある
夏休みの長いキャンプから帰ってきたら父親が入院していた
そのころはただ駅前にラーメン屋がぽつんと一軒あった

いまでも地元のタクシーはバス通りではなく住宅と畑と用水路の脇を抜けていく

(山から離れて川から離れた台地には四方八方からひとが来るにちがいない、とキタキタさんはそう考えたわけだね、台地はもともと米が穫れない、開墾したひとたちにタダで分けて軍が灌漑の用水路をひいたが、台地は二束三文だ　キタキタさんはやはり目のつけどころが違うねえ、土地持ちは持っていたってしかたない土地を二束三文で売った、売ったあとはどうしようもない、キタキタさんに勤めたひとはたくさんいる、このあたりの大金持ちだよ、よそから来たひとには言えないことがたくさんあるねえ、と信じられないほど年をとった個人タクシーの運転手は病院の面会入り口に大きな車をよせた)

「気胸はたいへんです、神に祈るしかありません」

中国から電話をかけてきたリュウさんは明るい声ではきはきと言った

「看病の仕事はたいへんですが、お互い頑張りましょう」
ひさしぶりでリュウさんの日本語を聞いたのでわたしは十二月まで生きていこうと思った

「庭にセージを植えている者は死なない」という西洋の諺を読んだので
隣の庭を横目で眺めながらスープにセージの粉を放りこみ
赤と紫のトウガラシの鉢をベランダに置いた
これで十二月まではとりあえず安心できるから
新しい年になったら鉢植えのセージをいくつも並べて
わたしはぜったい死なないことにしなければ気がすまない

ガーデンセージ、クラリセージ、ゴールデンセージ
セージの紫の花が咲いてあとからあとからあたらしい葉と白い茎がのびていく

十二月、
「まあそう予測どおりにはいかないでしょう」
肺の癒着法について説明を受けたとき父は寝たままの状態で主治医に言った

新宿↓相模大野　相模大野↓新宿　新宿↓相模大野
小田急ロマンスカーの切符が溜まっていって
わたしは相模大野の巨大な駅ビルで靴下を買い
新年を祝う大きなカードが中国から郵便で届いた

セージの白い花が次々に咲いて細いやわらかい葉がのびていく
コモンセージ、チェリーセージ、パイナップルセージ

青空に浮かぶトンデモナイ悲しみのこと

きがつくと青空には入道雲の代わりに
トンデモナイ悲しみが浮かんでいて
わたしは傘をさして足を速めた
（追いかけてくるんだねそいつがまた）

夏はそれでもどこまでも眩しくて
白と黒の縞柄の傘がつくる影は淡く小さい
わたしはサングラスをかけて

そのトンデモナイ悲しみをそっと眺めた
（空が眩しいのでよく見えない）

あれこれと破れた記憶を抱えて
クリーニング屋に持っていったが
「猫の毛がついたものはお断りします」の貼り紙
繕いは駅の向こうの店でやっていますよと断られる

さっき道路で新聞紙を踏みつけたので
戦争や裁判所の記事も破れてしまった
本を開けば活字がはらはらと風に散っていく
（夏の光が眩しい、という記憶をたどる）

廃線になった列車の線路を見にいった島で
片腕のない男がサトウキビ畑の脇に立っていたっけ
でもそれがいつのことか思い出せない
映画館の暗闇から外に出て見上げた空は
夕焼けでジャムのように甘酸っぱくて
友達が教えてくれた喫茶店でコーヒーを飲んだっけ
でもそれがいつのことか思い出せない
道を歩いていてふと角を曲がってしまったら
なにもかもみんな遠くにいってしまった
(「サヨナラ」ダケガ人生ダなんて、ぜんぜん納得できないね)

きがつくと空の上から
オレンジと黄色の縞のシャツを着たトンデモナイ悲しみが

細いサングラスをかけてわたしを見ている
トンデモナイ悲しみのまわりには
雲がきれぎれに浮かんでいた
「きれいなシャツですね」
思わず声をかけるとトンデモナイ悲しみは小さい雲をしたがえて
すーっと地面すれすれのところまで降りてきた
「悲しんでいるひとはわたしを見るとこわがって遠ざかっていくので、今年の
夏は思いきって派手な服を着てみました」
「それはいい思いつきですね」
「けれども楽しい気持ちのひとにはわたしなんか見えないのです」
そこでわたしはトンデモナイ悲しみと二人で
街に遊びにいくことにしたのだった

土星元年

誰か猫の爪きりが得意なひとはいませんか？
灰色猫の爪が伸びて
かち、かち、かち、かち、と音をたてて
フローリングの床を歩いているので物事が滞っている

日が短くなって暗くなるのが早いので買い物にも行きそびれて
近所のローソンに牛乳を買いに行って占い本を立ち読みする
生年月日の数字をあてはめて計算してみると、

わたしは土星人だということだった
（ああやはりわたしは土星人だった）

土星人はベランダでミントとパセリを育てている
食べられる植物がベランダにあると思うと心強いからだ
まだ読みはじめたばかりの『カラマーゾフの兄弟』のなかでは
謎の料理人スメルジャコフにいちばん興味を持っているが
土星人なのに根気が足りないので長い小説をなかなか読みきれない

いつも来年こそは転職するんだ、と考えていて
今年の夏にはとつぜん糸と針と鋏と布の練習をはじめた
狭い部屋を半端な大きさの布だらけにして
ちくちくと半端な袋物を作って四角つなぎのパッチワークを縫いつける

ミシンの針をたてつづけに二本折ってしまったのでまたちくちくと手縫いして
派手なチェックの袖なしブラウスができあがったころにはもう秋だけどまだ暑
かった

次の課題は七分袖の水玉模様のブラウス、これは秋服だが着られるのは来年だ
ろうか
春夏秋冬が正しくきちんとまわってくれないから困るのだ
左利き用の裁ち鋏も買ったので簡単にはひきさがれないと思うが、
(わざわざ紙に製図して型紙を作っても布にあてがうときに誤差がでるにきま
っている、だから前提が間違っているのではないだろうか)とひそかにアタ
マで考えながら
手はばっさばっさと音をたてて型紙と格闘している

その様子を見て母が言った
「あなた洋裁は向かないみたいね」

母は水星人である

土星人はこの三年間最悪の星回りのなかにいたが
来年からは新しい状況が開けてくるということだった
正確には年末の十二月から運勢がよくなるのだが
土星人のすばらしい来年の足をひっぱるのが水星人だから
水星人にだけは近づくなとその占い本には書いてあった
翌朝、ローソンに葉書をだしにいってきた母が言うには
「あたしもくせいじん、木星人なのよ、よかったわね水星人じゃなくて
あなたね、計算間違えたのよ」

そこでわたしはニンゲン用の爪きり鋏を持って
ラグマットの上で寝そべっている灰色猫に近づいていった
後脚の爪をぱち、ぱち、ぱち、と三本きったところで
灰色猫はすっと後脚をひっこめて
ピンク色の口をあけてしゃーっと怒りだし前脚で土星人の手を叩いた
それから木星人の部屋のドアをあけてこれみよがしに入っていった
（しゃー、は確かにロシア語のШを発音したみたいだった）

カテリーナさんカテリーナさん、イワンさまはモスクワへお発ちになりました、
ですがそれはそれとして、来月からタクシー料金が値上げになりますんで、
高円寺の猫医者さんのところへいまのうちに行ったほうがよろしいです、
あそこのトリマーさんはとても仕事が速いですから、

などと声をかけてみたが返事はなかった

土星は地球の七百五十倍の体積と質量があり
ボイジャーの探索によれば衛星を二十個以上持っている
引っ越すなら二〇〇八年の年明けである

十五夜の月の下でほんとの話はまだ続いていく

そしてわたしは蔵のなかにいたのでした
ほんとうはもう長いこと蔵のなかにいたのだが
地球はまだ丸いことになっているようだから
そのうちなんとかなるだろうと思うことにして
荻窪の古本屋さんにこっそりでかけていって
アダム・スミスの小さい肖像画を眺めたりしていた
（なんて平凡な名前の男だろう、だけど靴の爪先はピンと尖っている）

望遠鏡で土星の輪を発見したのがガリレオだったとしても
月には兎が住んで餅つきをしているというお話がなかったら
わたしの父は双眼鏡を買ってまで月を見ようとはしなかったはずだ
わたしにとって父は最後の常識人であった
最後の常識人がこの世を去った、と嘆いていると
母が憤然として「違う」と言うのだった
「いったいどこがどのように常識人だったのか」
と激しくわたしに問いかけるのである
翌日は珍しく晴れたので
中央線の特別快速でさっさと墓の掃除に行ってしまった
高い墓石があんがい地味だったのは墓石屋に騙されたのだ、
まわりにコスモスを植えないといけないと言ったかと思うと
その翌日は朝から家のなかの四角いものを縦横に揃えはじめた

これは、よくない兆候だ
わたしは兎のすばやさで家をでないといけないが
玄関でもたついてドアを後脚で蹴った勢いで
とても自然に太陽に向かって南へ下っていく
空が暗くなった頃にはまた北へと歩いていく
季節は確かに秋分であって
月を見あげると兎が跳ねているので
またほんとの話を書いてしまうのだ

駅前の喫茶店がとうとう閉店してしまったので
まるで屋根裏みたいなガード下にもぐりこんで雨宿りする
キオスクでつい買ったピーナッツの袋のサイズ
傘も袋も電話もピーナッツも携帯サイズだから

わたしはついに携帯電話を筆記用具にして詩を書こうと試みた

マルクスも若いときには詩を書いたが詩人にはならなかった
ハイネは詩人なのになぜ歌の本はあんなにつまらないのか
アダム・スミスの文学講義は月曜と水曜と金曜だったらしい
(ここでいったん家のパソコンに送信)
こんなことを書いてみても詩にはならない
だけどいまはほらなにもかもがさかさまだ
わたしはこの三十年ばかり前に向かって歩こうとしてみたがうまく歩けなかった

南へ越せばいいのにわざわざ北へ引っ越してから南へ向かって歩いていく
たまには後ろ向きに歩くと健康にいいらしいがわたしはこわくてできないし
ヒップホップダンスを踊るには鏡を貼ったスタジオが必要というわけです

（とここまで書いたとき、携帯がメールを受信、ぷるぷるぷるっ。）

【From 弥次 to 喜多】元気でやっているか、ご無沙汰いたしした。こちらも混みあっている。挨拶まわりに長くかかってしまった。オレのブツダンのあたりにだな、もうフロッピーなんかは置いていないか。元号と西暦の換算がうまくできないんで、なかなか難儀だ。

（Re）はい、キタハチです。ヤジさんの昔作った換算ソフトですか？

【from 弥次】こっちはともかく混みあってると思ったほうがいいぜ、顔見知りの範囲に限定してもあんがい世間は狭いもんだ、というか広いというかだな。

（Re）なるほど、とりあえずは明治、大正、昭和と。

【to 喜多さんよ】そうだな、あとは西暦でいいような気もしたが、いまそっちは確か二十一世紀だったよな。

（Re）ヤジさん、こっちのほうがいま「遅れている」ことは確かなんで。

【to 喜多さんや】そう、確か江戸時代へ帰ろうってんだな。だがまあキタハチよ、おめえさんはこないだ漢字検定二級に受かったんだからえれえもんだぜ。なにもアダム・スミスまで遡らなくてもいいと思うが。

(Re) ですからヤジさん、つまりですね、犬が西向きゃ尾は東、とこういうわけなんで。

【to 喜多八よ】そりゃわかったようでわからないが、雨の降る日は天気が悪いってこういうわけだな。だがキタハチよ、漢字検定一級でも受けてみてはどうだ。なにアダム・スミスの従兄弟の同姓同名のアダム・スミスはスコットランドの税官吏になった?

(Re) ええ、スミス家は代々スコットランドの税官吏の家柄だったそうなんで。

【to 喜多八へ】おいキタハチ、いま確かにそっちはすっかり遅れている。いいかよく聞け、子沢山、というのは父親にとって必ずしも、そう必ずしも名誉なことではない、終わり。ところでオレのブツダンの前に菊とススキが飾ってあるようだが、それはそれとしてだ。卵焼きでも差し入れてくれるとありがたい。まったく挨拶まわりに二年もかかるとは思わなかった。ではよろしく頼む。弥次郎兵衛より。

やっと顔をあげて周囲を見回した
なにしろ「たとえあの世にいくことになっても、いる」と言っていたのだから
わたしの父親はそのあたりに「いる」という感じで「いる」にきまっているのだが

詩を書こう、としているときにいきなり携帯にメールがくるとは思わなかった
父は確かに生前からこんな男ではあったけれども
それなりの秩序とバランスをたもって生きていて
携帯のメールアドレスなんかは持たなかった

自分の従兄弟にはハヤク電報を打ってほしいと言っていた

携帯のキーの上を跳ねているのは指か爪か
それとも白い兎みたいななにかなら
規則正しく改行しないと
餅ができあがらないのでは？

雨はやんでいる
きっと明日は晴れるだろうが
午後にはまたカミナリが鳴って
北の家は黒い森の影に入る

【本日のお茶】

パステルグリーンの壁紙で囲まれた中国茶の喫茶店で
わたしはコートを脱いでマフラーをはずした
地上六階の窓の外はまだ明るい
きょうからは春の空気だ

【本日のお茶　文山包種（ブンザンホウシュ）台湾】
ガラスのポットに入った薄い緑色のお茶が運ばれてきた
【緑茶のふくよかさと烏龍茶のさわやかさをあわせもつ香りです】

隣に座ったふたりの若い女たちは職場のことを話していた
ひとりは薄いグレイのニットを着て髪は明るい栗色に染めて
もうひとりは短いスカートをはいて可愛い茶色の縁のメガネをかけて
ゆっくりとお茶を飲みながら豆腐のようなお菓子をスプーンで掬っていた

わたしは【本日のお茶】をひとくち飲んでほんの少しシアワセな気持ちになる
とりあえずきょうはこれでいいんだと自分に言い聞かせる

冬は寒かったからどこにも出かけずにいたひとびとが街に出てくる
それぞれの巣穴のなかから小枝や腐った落ち葉をふりはらって
入り口をふさいでいた石を動かしてテレビも消して外へ出る
そんな日にわたしはひとりでこのお店に来たけれど

やっぱりふたりで話をしながらお茶を飲んだ方が楽しいかな
そうとも限らない

「とはいえ、おめでたいことがあって辞めたのだから」
とふいにグレイのニットの女の声が奇妙にやわらかく響く
彼女たちもわたしと同じように【本日のお茶】を飲んでいる
文山包種（ブンザンホウシュ）を飲んでいる
あの斜め向かいで本を読んでいる女もその向こうで喋っている男たちも
まだ分厚いセーターを着てきっとこのお茶を飲んでいるに違いない
でも知らないひと同士がお互いに知り合うことなんかないのは
そのことは悲しくも淋しくもないけれどやはり不思議だ
パステルグリーンの店内でさらさらと砂のようにすれ違う

冬眠から醒めたばかりの動物のように周囲を見まわしているわたしの隣で
彼女たちはいつまでも職場のイノウエさんのことを話している

ある晩、くるみの入ったクッキーを焼いて

お母さん、起きてよ
夜になってからボールに材料を混ぜあわせて
くるみの入ったクッキーを合計三十六枚も焼いた
いちどに六枚しか焼けないオーブントースターでせっせと焼いた
バターのにおいが台所にたちこめてそれだけでお腹がいっぱいになる
だけどクッキーをしまっておく箱がないしどうしよう
『プーさんのお料理読本』にはなにも書いてなかった
クッキーを焼いたあとどうしたらいいかなんてことは

(クマのプーさんは寒い日のお茶の時間にちょっとひと口やるためのはちみつ
のしまってあるつぼやびんを戸棚に並べているけれど)

お母さん、明日の朝ではまにあわない
明日の朝がいつやってくるのかもわからないし
くるみの入ったクッキーはどんな箱にしまっておけばいいのかしら
クッキーをしまった箱はどこの戸棚にしまっておけばいいのかしら
それとも木の枝に三十六枚のクッキーをぶらさげて
わたしも木の枝に座って足をぶらぶらさせていたほうがいいのかしら
(ああこの瞬間もつぎの瞬間もつぎのつぎの瞬間も
ワタシはいったいドウシタライイノデショウカ)

けれども母は夜になるととても早く寝てしまう

とても早く寝てしまって決して起きてはこない
テーブルの上にメモが置いてあるのに気づいた
「明日の朝、ウサギとウサギの親戚友人一同が来て本棚の移動を手伝ってくれることになっています」
まさかクマのプーさんの友だちのウサギの親戚友人一同が
あの重くてかさばる本棚を動かしに来てくれるなんて
思ってもみなかったことだけどこれはありがたい話だ
（いや、ほとんどありえない話だとは思うけれど）

次の朝、目が覚めたときには
小さい動物たちがかさかさと家のなかを走りまわる気配がしていた
茶色のウサギが先頭に立って皆を指揮していた
大きな本棚を母の部屋から居間に移動しようとしているのだ

「こんにちは、クマのプーさんのお友だちのウサギさんですね」と挨拶したのに

「悪いけど、邪魔だからどいていてくれないかな、君は少しかさばるからね」

わたしはウサギにそう言われてしまったので

廊下に積んであった本のなかから

A・A・ミルンの自伝を取り出して台所に座っていた

自伝の栞をはさんであるところから読んでいくと

『クマのプーさん』の作者はまだ大学を出たばかりで

数学者にはならずにフリーランスの物書きになったところだった

わたしがその本を読んでいると、

「ほんとにどうもありがとう、そろそろお茶にしましょう」

などと母が言っているのが聞こえてきた

テーブルの上には昨晩わたしが焼いたクッキーがきれいに並べてあった

でもお母さん、これは少しおかしくはないかしら
ミルンはまだ独身で息子もいないし『クマのプーさん』を書いてはいないのだから
ウサギとウサギの親戚友人一同がこの家に本棚を動かしにくるのは無理じゃない？
それとも作者なんてどうでもいいのかしら？

「そうねえ、でもあなたはほんとに小さい頃に『クマのプーさん』を読んだから、わたしも読んだけどね、きっとそういうわけでしょうね、ああその厚い本は作者の自伝なの」
そんなことを言いながら母はウサギの甥たちにクッキーを勧めていた
（ウサギの親戚が十五匹、友人関係が二十四匹ぐらいで

三十六枚のクッキーは全員にいきわたったみたいでよかった)
「じゃ、きょうは用事が早くすんでよかった。われわれとしても大勢で来ただけのことはあるね。ではそろそろおいとまするこ とにしよう」
茶色のウサギが立ちあがってひげを整えながらそう言うと
ウサギの親戚友人一同はそのあとについてゾロゾロと玄関から出ていった

残ったわたしは『プーさんのお料理読本』という油の染みで汚れた本を
居間に移動した本棚ではなくて台所の物入れのなかにそっとしまった
西暦二〇〇〇年をとっくに過ぎた日本の東京で
夜更けにプーさんのクッキーなんか焼いているもう子どもではないわたしのことを
ミルンが知ったらどう思うだろうか
自伝によればミルンは結婚して軍隊にも行くし劇作家として成功する

『クマのプーさん』を書くのはそのあとのことだ
(でも、もしかするとミルンの自伝の最後のほうはこの先もずっと読まないかもしれないな、と思いながら、わたしはまたその分厚い本に栞をはさんだ)

スノードロップ

夜の町の花屋でたったひとつうつむいて咲いている小さな白い花を買う
スノードロップ、球根、植えっぱなしでもＯＫ　と書いてある
「そう長くは咲きませんが、また次のが出てきますよ」
スノードロップの鉢植えをそっと窓辺に置いた

でも雪は降らない
わたしはどこにも行かない

昼間の乾いた町を歩きまわると
なにかが手の甲にそよいでくる
静電気が起きているようだ
それとも携帯が振動している？

歯医者の診察室では
男の声でアヴェ・マリアが流れて
このまま天国にのぼっていくのかとも思う
脱いだスリッパを探して診察台から降りる

外に出てもまだ雪は降らない
空には太陽の光が残っている

コンビニエンスストアで電話料金を払う
長い髪の少年がお釣りを数えている
白いカウンター越しに
わたしは少し笑いかけてみる

ある朝、雪のしずくが屋根から落ちる音で目が覚める
雪野原で小鳥が鳴いているようだ　確かに小鳥が鳴いている
いくつもの大きな足跡がすでに家のまわりをとりまいている
木の枝からどさっと音をたててまた雪が落ちる
誰かが声をたてて笑っている　確かに笑っている
毛糸の帽子をかぶって雪玉を投げる子どもがいる
動物たちが大きなかまくらから顔を出す
ああこれは物語の終わりのほうだな、

わたしはそう思ってまもなく夢から醒めるだろう

醒めるだろうと思ったのに
雪野原を低い雲の上から眺めていると
男の声でアヴェ・マリアが流れてきて
ひたひたとなにかがさらに上から迫ってきた
雪のかけらが頬に当たって下界に落ちていく
「昨日の夕飯、ふきのとうのてんぷら」
誰かが言っているのが聞こえた
「ふきのとうは近所では採れない、うちはマンションだから」と言ってみたが、
(このまま天国にのぼっていってふきのとうのてんぷらを食べたい)
わたしはとうとうそう思ってしまった
たちまちしゅるしゅるっと天国行きの縄梯子が降りてきた

すぐに片足を縄梯子にかける
（ふきのとうのてんぷら）
もう片方の足をひきよせる
（でも来週の金曜は歯医者の予約だ）
一瞬迷うが金曜には戻ってくればいいのだからともう一段のぼる
（ふきのとうのてんぷら）（ふきのとうのてんぷら）……
（ふ）（き）（の）（と）（う）（の）（て）（ん）（ぷ）（ら）
というぐあいにのぼっていくと縄梯子はぜんぶでちょうど十段だった
最後の「ら」の段に片足をのせたとき私は窓辺の白い花のことを思い出した
植えっぱなしで水もやっていないのにあのスノードロップという花のおかげで
私は天国にのぼっていってふきのとうのてんぷらを食べられるんだ、うつむい
て咲いているあの可憐な白い花はきっと王子様を待っているに違いない、そう
だ天国から帰るときスノードロップのために王子様をひとり連れて帰ろう、王

子様がスノードロップにキスをするとスノードロップは美しいお姫様になって
ふたりは結婚してあの窓辺で末永く一緒に暮らすのだ、これでこのお話はめで
たしめでたしと、欲張って王子様のことまで考えたのでわたしは最後の「ら」
の段から足を踏み外して、
（ら）（ぷ）（ん）（て）（の）（う）（と）（の）（き）（ふ）
とばかりに縄梯子をさかさまに転げ落ちていった

ずきずきする頭で
朝の夢から醒めたわたしは
台所に立っていって熱い紅茶をいれた
窓の外は穏やかな冬晴れだ

昔、庭に残った雪の下からふきのとうが顔をのぞかせた

家に来ていた黒い服のお婆さんはよくふきのとうを摘んでいたっけ
苦味のあるふきのとうは子どもの頃には食べられなかった
雪だるまも作らないでふきのとうを喜んで食べる大人というのは
ほんとうに不思議な生き物だと思っていた
（大人はいつか死んでしまうからとても困る、とも）

ふきのとうのてんぷらも王子様もいらない
天国にも行きたくない、とひとつずつ確認する

けれどもまた夜になると
スノードロップは新しい蕾をつけていた

*スノードロップ　春に先駆けるヒガンバナ科の球根花。英国では「二月の美しい少女」とも呼ばれる。和名はユキノハナ。

夏、スズキくんの映像

朝には一枚の皺ひとつない青い布のようだった空が
わたしの目の近くまで降りてきて、ぴかりとまたたいた
オハヨウ、と言う間もなくいちにちは流れ出して
いくつかの夏の映像が浮かんでは消えていく

古いさびれた商店街の向こうに現れた
まぶしく光る一本道を歩いていくと
向こうから犬の顔をした男がやってきてすれ違う

心地よいジャズのピアノの音にあわせて
弾むような足どりで歩いていってしまおうとするのを
ひきとめるつもりはないのだけれども
やはり犬の顔の鼻先をよく眺めると
記憶の古層で化石となったはずのスズキくんではないだろうか
玉葱を買った帰り道だからそう感じるのだ
「光化学スモッグ注意報が出てますよ」と声をかけてみた
「あ、やはり出ていますか」と黒い鼻先が動いた
「それでは早く家に帰らないといけませんね、この暑さでは氷も溶けてしまいます、ああ早くかき氷が食べたい」と言って
犬の顔の男はときどき暑そうに舌を出しながら
光る一本道をいってしまった
もういちど記憶の底を隅々までペンライトを使って照らしてみると

スズキくんの化石というものは見あたらなかった
（ふつうは硬い部分が残って石化するらしいが彼は全体に柔らかかったのかも
しれない）
私は玉葱を抱えて一本道をまっすぐ家まで帰ってきた

現実の街路の埃と騒音から身体をひきはがして
プールで泳いだあとのような気持ちのよいだるさで
緩んでやわらかくなった空の色の変化を窓から眺める
木々の緑に陽があたるのを見ていると
葉の一枚一枚が自分で光を出して黄緑色に輝いているようで
もっとよく見たいと窓越しに目を凝らす
（夏の日の午後遅く）

それから広辞苑でスズキくんを調べると
【鈴木梅太郎】や【鈴木貫太郎】などが載っていたが
経歴を見ても知り合いではないようだ
サカナヘンの【鱸(スズキ)】となると骨は硬いし全長一メートルもある
玉葱を添えた鱸のソテーのことを考えてみるが暑いのですぐにやめる
そしてわたしは冷凍庫から小さい立方体の氷をいくつか取り出した
カランコロンと氷の音を透明なグラスに響かせる
（……「この暑さでは氷も溶けてしまいます」）

こうやって時間が過ぎていく
氷の入ったグラスに杏色の紅茶を注ぎいれて
アイスティーを少しずつ飲んでいるうちに

小学校の教室の隅で水道の蛇口のまわりを
いつも一緒に磨いていた日焼けした男の子
あれがスズキくんだったかもしれない
もしかするとずっとあとになって
スズキくんから葉書をもらったことだってあったかもしれない
（きっと返事を出すのを忘れてしまったんだろう）

夏の映像は
氷の入ったグラスのようなわたしの目に
太陽の光線の反射が注がれてできあがる奇妙なカクテルだけど
過ぎていく時間のほうは見ることができない
気がついて振り向いたとき
鈍いかすかな音をたてて

玉葱がいくつも台所の床の上に転がり出していた
急速に夕闇が訪れる

湖へ行く道

午後にからっぽなさびしい気持ちになって外に出ると
秋の空には雲がおしよせていた
たったひとつ穴のあいたところが
郵便ポストの差し出し口みたいに
ここだけが世界への出入り口だよというように
わたしを招きよせるので
踵の低い靴でどんどん歩いていく
するとその出入り口の隣に

湖のような空が拡がっているのが見えてきた
薄い灰色の雲にかこまれて蒼い水を湛えている
飛行機が湖の上を飛んでいくのも見えた

街路樹はすでにいくらか木の葉を散らして
ひとびとは舗道を歩いたり商店に立ち寄ったり
靴の先や手の先ばかり眺めて忙しいので
頭の上に湖があることには誰も気づかないらしい

そのとき小さい自転車が脇を通り過ぎた
カラーンと軽い音をたてて私の目の前に黄色いプラスチックのシャベルを落とし
していった　立ちどまって拾ってあげると、髪を結んだ小さい女の子がアリガ
トウゴザイマスと大きな声で言いながら走って戻ってきて、自転車のカゴのな

かのビニールの手提げにシャベルを押しこみ急いで自転車を漕ぎ出した　そのとたん、またカラーンと音をたてて黄色いシャベルが舗道に落ちた　もういちど拾ってあげると、女の子は何回モ落チルと言いながら戻ってきてシャベルを受け取り自転車のカゴのなかのビニールの手提げに押しこんだ「ちゃんと入れておいたほうがいいよ」と、わたしは思わず言った
だって湖までは遠いからね
女の子はとても急いで小さい自転車で行ってしまった
あっというまに見えなくなる前にいちどだけこちらを振り返った

まもなく湖も街路樹の黒い陰に隠れて見えなくなった
でもこの道はまっすぐ行けば広場に出るのだから
そこでもういちど湖を見上げることができるはず
秋の空に騙されてそう思って歩いていく

湿った生暖かい風が吹いて雲を膨らませていった
あのたったひとつあいていた穴もだんだん閉じてしまったみたいだ
あたりは暗くなってぽつぽつと雨が降り出した
まるで湖の底に降りてしまったように暗い

（蒼い湖のほとりではあの子が黄色いシャベルで天の水をはねかしている）

湖に辿りつけるのは小さい子どもだけなんだとやっと気づいて
わたしはバスに乗った

バスのなかにも黄色い明かりがついて
黒っぽい服装のひとびとの姿が窓ガラスに映りはじめた

暗闇のなかに手早く編みこまれていくような気持ちで
わたしはただその道をどこへともなくバスに揺られていった

真昼

昨日見あげた青空と入道雲は
さかさまに飛び込むことができそうだったけれど
やはりこの地上の引力にさからって飛び込むわけにはいかなくて
わたしはきょうもここで生きていて冷たいりんごジュースを飲んでいる

甘いジュースの空き缶から恐怖が染み出して
使い捨てられた点滴の針をつまみあげる指先を浸し
学校の廊下を滑り続ける卒業生の陰口がついに

片方の肺を傷つけたので病室の寝台に固定され
額に痣のあるカウンセラーは卑劣漢と化して
ヒレカツサンドの中身を盗もうとしている

ああこんな真昼なのに
夜の夢のなかのように記憶の出来事が連鎖する
わたしは前に向かって泳ごうとするのに
病室の窓枠やら壊れた鳩時計やらガラス細工やら
インクの切れたボールペンやらガラクタばかりひきずって
(若かった頃のぞっとするようなワタシの残骸までー)

銀紙で作った星は鳥につつかれて破れてしまい
ほんとの話を聞いてほしかったひとも

ぶどう棚の下でふいに消えてしまった

郷愁はあっというまに細い紐に絡まれて
入道雲はかたちを変えて灰色の雨雲になり
つめたい白衣の看護婦の口紅が目の前に迫る
眠れない夜と錠剤と肺に引圧をかける装置と
強烈なバニラの香りの経口栄養剤の缶の重さ
呼吸をするたびにゴボゴボと色のついた水が動く

昨日は医療券の更新のために保健センターまで歩いていった
毎年夏が近づくと送られてくる書類に名前や数字や丸印を記入して
病院に行って書いてもらった診断書と一緒に手提げに入れて持っていく
保険証のコピーは窓口でとってくれることが最近やっとわかってきた

でも毎年少しずつ何かが違っていてたとえば今年は印鑑が必要なかった
「潰瘍性大腸炎」の医療券は手帳に挟めるくらいの大きさで
長いあいだ薄い緑色だったのが薄い水色になりいまはなぜか桃色だ
申請の窓口を離れて建物の外で空を見あげた
帰り道でお昼のヒレカツサンドを買った

わたしはいまこの瞬間も生きていてまだりんごジュースを飲んでいる
記憶の出来事は夜の夢のなかでは消えてしまう
昨夜の夢のなかではわたしは悲惨な戦争について書かれた本を読んでいて
その文章を記憶しようとしていたのだが目が覚めたときには忘れていた
その本の最後のほうは空白になっていてこわかったことだけ覚えている

宇宙から帰還したように感じたのも

遠いあの日の出来事ではなくて
ジュースの空き缶を捨て
水道の蛇口の下で手を洗い
タオルをつかんだいまこの瞬間かもしれない

透明なビー玉をひとつはじいて記憶の連鎖に打ち当てて
カチリという微かな音に真昼の耳をすませていると
ビー玉はやがて緩やかにカーブを描いてもどってくる

正月のフェルメール

正月は曇天ではじまった

曇った寒い元日には地震があって
飼い猫のチビはとびあがって走り
窓辺のカーテンの陰に隠れてしまった
わたしは母と向かいあって座り
黒豆と煮物を黙ってつついた
そのあと近所をひとりで歩きまわった

東京の道路はふだんより少し静かだ
神社で並んで破魔矢を買ったりした
乾いた寒さが背中に入りこんできた

やがて寒さはどん底になり
つめたい風が吹くなかを
わたしは美術館に出かけた

電車を乗り継いで
フェルメールの『手紙を書く女』のところへ
たどりついて見あげると絵のなかにはたしかに光が射している
(暖かくはないただ無機質の光？)
毛皮の縁どりのついた黄色いガウンを着て

窓に向かった机の上で羽根ペンを片手に手紙を書く女が
顔をあげてこちらを見ている
こちらを見ているその顔は無邪気のようにも
目を大きく見開いてなにか楽しんでいるようにも
しまいには表情が読みとれない

「フェルメールなんか流行りだしたのはいつ頃からでしたかね」
年配の男女が低声で話しながらわたしの前を歩いていく
(学生時代にこの絵をどこかで見た記憶がある)
フェルメールの展示室では見物人は皆モノクロで影のようだ
『手紙を読む青衣の女』の前では女の着ている青い上着の色に目を凝らし
『手紙を書く女と召使い』ではまた窓辺からの光のもとで座って手紙を書く女
幾何学的な市松模様の床には書き損じた紙が投げ捨てられている

なにか息苦しいようでどこか通俗でもあると思うのだけど
十七世紀のオランダのほかの風俗画に比べてみると
やはりこれらの絵には特別な光が射しているから
こんな寒い日にもひとびとはフェルメールを見るためにやってくるのだろう

昨夜わたしはもう壊れそうなパソコンの前に座って
見知らぬ男からのメッセージを読んでいた
画面をスクロールしながら
〈でも　ごめんなさい
　一生を共にする理想の結婚相手を探す場面となるとわかりません
　それぞれ別々に頑張っていきましょう　幸運を祈っています〉
（会ったこともない男からのこれは最初で最後の別れの挨拶？）

ああフェルメールの部屋の外に出て
本物の太陽の光で暖まりたいけれど
美術館の外は灰色の曇天だ
もういちど黄色いガウンを着た女のところへ戻ってしまう
ガウンの縁どりの白い毛皮には黒い斑点
机の上には豪奢な真珠のネックレス
なにかよからぬ気配も漂いはじめるこの部屋で
女は誰に手紙を書きはじめたのだろうか
謎々からはいくつもの小説が生まれそうだ

〈あなた様のプロフィールにはなにか心を打たれるものがございました〉と
液晶画面のなかの男に最後の送信をしてみてもよかったかもしれないのだが
わたしのガウンはフリース素材の霜降りグレイで

ポケットには茶色のクマのアップリケがついている
だからそのままパソコンの電源を切ってしまった

羽根ペンを手にした黄色いガウンの『手紙を書く女』が
こちらを見据えて嘲笑っているようにも見えてきて――

安全ピンと芍薬

「郵便局に行くのはきょうでなくてもいいかな」
と呟きながら窓から曇った空を見上げていると母が言った
「もし出かけるのなら金物屋のサカイで洗濯カゴを買ってきてくれない」
いいよ、と気軽にうけあってしまった
「それとね、花がなんにもないとさびしいから花屋に芍薬が出てるのを買って
　きてくれない」
出かける支度をしているとまた母が部屋の前に来て言った
「あなたのところに大きい安全ピンないかしら」

寒いのか暑いのかわからないような気候で上着を探す
「午後には雷雨がくると言っているから傘を持って行ったほうがいいわよ」
洗濯カゴ、芍薬、安全ピン、と頭のなかにメモして傘は持たないで家を出た

金物屋のサカイはなんでも売っている親切な店だけど
シャッターを下ろして貼り紙を出していた
「本日は定休日です」

そうなるとこの買い物は難しいとりあわせになってきた
洗濯カゴと安全ピンをまとめて買えるのは駅に近いスーパーマーケット？
花屋も駅に近いけど、芍薬、シャクヤクってどんな花だっけ？
オカアサンにおつかいを頼まれたコドモになっていく
（そう、母はだんだん大きくなりわたしはだんだん小さくなる）

(だって三十歳離れているんだからしかたないでしょと母は言う)

きょうのわたしが完成させなければいけないのは
《洗濯カゴのなかの安全ピンと芍薬の(幸福な)出会い》なのだから
ためらわずスーパーマーケットに向かおう

エレベーターで五階に上がる
まずは洗濯カゴ、入れ物から準備しよう
洗濯ロープ、洗濯バサミ、洗濯ネット、洗濯ブラシ、洗濯ハンガー、
いろいろあるけどカラフルなバスケットには名前がないみたいだった
洗濯カゴってつまり濡れた洗濯物をとりあえず洗濯機から出して入れるカゴだけど、
他のことにも使えるので用途を限定したくないのか名無しの理由はわからない

けれど、
なかに安全ピンと芍薬を入れるのだからどぎついピンクやキミドリは避けたい、
と
アイボリーのやわらかい丸いバスケットを選んだ

ふうっと息を吐いて洗濯カゴの取っ手を腕にかけたまま
文具売り場の方角へ
安全ピン、それも大きい安全ピンはあるかしら
安全ピン、安全ピンはほんとうに安全なのかしら
子どもの頃に名札を安全ピンで胸に留められてこわかった
留め金がはずれてピンが刺さったら死んじゃうかもしれない
文具売り場にはプラスチックの箱に入った小さい安全ピンしか置いてなかった
お人形の胸にブローチを留めるような小さい安全ピン

これはわたしの探している大きい安全ピンじゃない
必死の思いで母に携帯でメールする
「安全ピンはなにに使うの？　小さいのしかないんだけど」
返事はない
（母は眠っている、または家のなかをかたづけている、あるいは？）

父が台所で好きな煮魚を作っている
「きょうはお母さん遅くなる日だっけ」
「そんなに遅くはならないって言ってた」
「木曜が会議で金曜はなんだっけ、夕飯食べてくると思うか」
「いや、食べてはこないと思う」
「電話があったら早く帰ってくるように言ってくれ、鰈の上等なやつなんだ、これは」

（母は必ず帰ってくる　帰ってこなかったことなんかない）

わたしは食器を並べてから台所のまな板を洗う

父と向かいあって座り鰈の煮つけを賞味する

時計の針が九時を回る

電話がこないのはなぜだろう

商品をチェックしている店員が忙しげに近づいてくる

「すいません、これより大きい安全ピンはありませんか」

年配の女性の店員は眉間に皺をよせて思い出そうとする

「確か、あっちのカーテン売り場に、少しあったと思いますけどねえ」

「どうもありがとう」

カーテンの売り場へと安全ピンの大きさを見比べに行く

そこにあった安全ピンは針が太くて編み針みたいなピンだった

大きい安全ピンってどのくらいの大きさなんだろう

母は安全ピンをなにに使うんだろう
安全ピンの用途は「留める」ことだけではなくて、と考え出すとこわくなるのでやめる
けっきょく文具売り場に戻って小さい安全ピン二種類のうち少し大きいほうの箱をとってアイボリーのバスケットにぽとんと落とし込んだ

レジに並ぶ
こんなに売り場は大きいのにレジは一箇所だけなんて
急にこんな買い物を頼まれたことにイライラしてきて
急いでお金を払って急いでスーパーを出る

空は怪しく暗くなってきた

「どうしたんだろうなあ、お母さんは」
テレビを見ていた父が時計を見上げる
駅についたら電話がくるはずなのに
（オカアサン、倒れないで）
　そのとき黒いダイヤル式の電話機が慌てふためいたように鳴る

赤いバラとカーネーションの向こうに
丈の高い白とピンクの丸い花があるけど
わたしはまたぐんぐん小さくなったような気分だ
「あの、これ、シャクヤクですよね」
いつもの花屋のお姉さんがわたしよりだいぶオトナに見える
「ええ、これは芍薬ですよ」
「じゃあ、これください、白いのとピンクのと……あ、これじゃちょっと少ないかな」
自分の胸に安全ピンで名前が留められているような気がする
「あの、もう少しあったほうが見栄えがするでしょうか」
花屋のお姉さんはお客のことを笑ったりはしない
「まあ数は多いほうが見栄えはしますけどね」
コドモにもちゃんとわけのわかることを言ってくれる
「じゃ、このつぼみも入れましょうか」
濃い色の丸いつぼみも一本入れてまとめてくれた
ああ、よかった、オカアサン、シャクヤクが買えたよ

芍薬の花束をバスケットにそっと入れて
《洗濯カゴのなかの安全ピンと芍薬の（たぶん幸福な）出会い》
がやっと完成しました

家の方角の空に黒い雲が見えていた

　受話器をとると母の声が飛び込んでくる
「いま駅に着いたけどなにか買っていかなくていい？」
（オカアサン、帰っておいで）

「ただいま」

「おかえり、雨に降られなくてよかったわね」

「安全ピンはなにに使うの？」

「布団の衿カバーを買ってね、それをずれないように留めておきたいの、芍薬はお父さんが好きだったのよね、これ読んでいたらやめられなくて」

母は居間のソファに座って『柳生武芸帖』を読んでいた
（安全ピンを袖口に入れ芍薬の花を口にくわえてこっそり宙返りの練習をする

母！）

次第に雨の気配が近づいてきた

青海波

まもなく新しい年が玄関口までやってくる
とはいってもべつになにもすることはない年の暮れ
白い布に緑色の糸で刺し子の布巾を縫っていた

同心円を重ねて互い違いに並べただけの単純な模様
青海波（せいがいは）　という名前の図案が白い布に描かれている
その図案はきっと海の波を表しているのだから
第一の波、第二の波、と分けて縫っていく

まだ第一の波のなかばを針が刺しているところだ
布の端まで縫っては折り返す

青海波　という模様の名前
小型の電子辞書の中にしまいこまれたまま
めったにとり出してもらえない言葉を出してきて
テーブルの上で磨いているみたいな気分だ
麻の葉、野分、矢羽根、など刺し子の図案はほかにもいろいろあって
麻の葉を縫えば植物が繁茂し、野分を縫えば風が吹くのだろう
わたしは海のほうへ進んできてしまった

半円を描く単純な縫いとりを繰り返す
波は静かで穏やかに晴れている

遠くまで紺色の縞目が拡がりカモメが飛ぶ
雅楽の音が聞こえてきそうだ
舞を舞うひとの動作が見えてきそうだ
手で半円を描く動作を繰り返している

模様は繰り返す（自然が繰り返すので）
そう考えながら針を持つ手が繰り返す
第二の波（内側の半円）にとりかかる
地下鉄の連絡通路を抜けるみたいに
布の裏側を糸がこっそり渡って
波の端のところからまた表に出てくる

しだいに針を持つ指先が痛くなってきて息を吹きかける

こんなにたくさん縫うのだったらテディベアだって作れるかもしれない
もうひとりの自分が肩越しに覗きこんで言う
そんなことするのはもっとずっと年をとってからでもいいのに
そうかもしれないね（単調な模様の縫いとり）
束ねてある木綿の糸の端が見つからなくなって糸が混乱する

テレビの音を消して座りなおすと
火の用心の拍子木の音がカチ、カチ、と近づいて遠ざかっていく
新しい年まであと二日だ

少しずつ青海波の模様が出来上がっていく
波と波のあいだに扇形に拡がるもうひとつの波
平面の模様に少し立体感が出てきた

波と波のあいだになにか隠れていそうな感じだ
（魚？）

布の表面は模様で覆われていって
裏切りも救急車も入りこむ隙間がなくなっていく
新年にはよいことだけが繰り返し起こるように
海の波のようにどこまでも繰り返していくように

わたしはそのときすでに名前のない縫い子になっている
今まで同じ模様を縫いとりしてきた大勢のひとびとの一人になる
波と波のあいだにもぐるようにしてそのまま眠りに落ちる

明日はもっとたくさん縫って、来年はもっとたくさん縫ってさまざまな模様を色々な糸で縫って……

木綿の白いフチに囲まれた
青海波の模様の波の上で
角の豆腐屋の飼っている黒い出目金がちゃぽんと跳ねた

あとがき

二〇〇六年に父が亡くなってから六年がたちます。そのあいだに少しずつ書いた詩をまとめました。わたしにとっては三冊目の詩集です。

この詩集に収めた詩は、すべてクロスオーバーマガジン「モーアシビ」に発表してきたものです。「モーアシビ」が定期的に発行されつづけてきたことが、これらの詩を書くことに弾みをつけてくれました。

また、詩集のタイトルを決めたときに偶然のようにであった表紙の兎の絵は、母の友人である橋本綱さんによるものです。この場を借りてお礼申し上げます。

――二〇一二年二月　川上亜紀

あなたとわたしと無数の人々

四月のバスで荻窪駅まで

八重桜の枝が風に揺れ
消防車のサイレンが響き
明るい四月の光のなかを
バスは窓を開けたまま行く

地震はまるで遠い国の出来事のようだ
大分に住む叔母とほんの一、二行のメールをやりとりする
〈無事ですか〉

〈安全には気をつけます〉

六年前の三月にも
わたしはこのバスに乗っていた
窓の外ではケヤキが芽吹いていた
とつぜんバスは大きく突き上げるように
うねる波のように揺れて停車した
なにが起きたのかもわからない
運転手は落ち着いていた
「地震ですね、震度5ぐらいかな」
バスの後ろのほうの座席で女の乗客が
泣いたような笑ったような大きい声で言った
「ああよかった、ひとりで家にいたらもっとこわかった」

あのときは東京も揺れたのだ

バスの乗客は黙って座って
バスに揺られて隣の駅まで
明るい真昼の光のなかを
バスの速度で運ばれていく

区役所の角を曲がり
消防署の前を通り
もう桜の木も見えない
乗客たちは六、七人
駅に着いたら
駅ビルの食堂街でワイングラスを傾けるか

地下鉄に乗るために階段を下りていくか
〈安全には気をつけます〉

携帯を上着のポケットにしまって
窓の外の道路に太陽の光が降り注ぐのを見ている
生きていると感じる瞬間がゆっくり通り過ぎていく
そこに喜びは見あたらないが
わたしはバスを降りる準備をする

四月のバスは折り目正しく荻窪駅前に停車する

蜂たちはどこへ？

重たい花々の花弁が膨らんでいく
猫が目を細めながらうっとりと顔をあげるように
わたしも空に向かって垂直になろうとしている

いまは光の色が変わるとき
ハルという待たれる人の名前のようなはじまりの季節
日陰にかたまっていた泥にまみれた雪は跡形もなく
街では人々がカラフルな水玉模様のように連なっている

昨年の寒い曇天の日
閉め切った家を掃除しに行ったとき
ベランダの片隅に蜂の巣が落ちていた
灰色になった古いスポンジのようだった
わたしはそれを捨ててしまった
（あれはほんとうに蜂の巣だったのだろうか）

でも蜂たちはどこへ？
古い巣を捨てて群れをなして飛び去ったのか
いまごろは遠い土地で花々のあいだを飛んでいるのか

都会にも雪が降っていたころには

黒いウールの上着に箱ポケットをつけていた
箱ポケットをつくる手順は難しくて
あとから思い出そうとしてもできない
わたしの手がもっと大きくて丈夫で器用なら
さまざまなポケットを考案する職人になって
空中にさえポケットをつくってみせたのに

蜂たちはどこへ？
暗黒の宇宙に飛び出してしまったのか

明るい色の服を着て戸外を歩くころには
黒い上着の箱ポケットのことなんてもう忘れてしまって
花粉症で痛痒い目とうまく開かない心のことで

頭を悩ませながらハルの光を頬にうけてまばたきをする
眠りにつく直前にほんの一瞬、
宇宙を飛んでいく蜂たちの羽音が聞こえて
暗闇のなかで目を開けるがもちろん
なにも見えはしないのだ

寒天旅行

大阪へ行くために土曜日の新幹線に乗る
〈のぞみ〉の指定席券を前日に駅で買った
6号車8E　窓側の座席で
わたしは青空の下の山の稜線を眺めている
なにを望んで走るのだろう（ひかりより速く？）
雪化粧した富士山の南側で2台の列車がすれちがう
（かなう望みとかなわない望み）

けれどもこのあと近畿地方の積雪のため
〈のぞみ〉は速度を落とさなくてはならない
新大阪への到着時刻には数分の遅れが出る予定

名古屋駅をすぎてとつぜん窓の外は雪景色
関が原古戦場の残雪が陽に照らされている
ひた走る〈のぞみ〉にはねとばされた線路ぎわの雪が
こまかい雫になって窓ガラスにびっしりとはりついている

わたしは座席に座りなおして寒天ゼリーのことを考えてみる
寒天の粉末をゆっくり煮溶かして牛乳と砂糖を加えて
切った果物を並べた容器に流し入れて固める
（寒天はさむいのでなんでも固めてしまう）

冬の空の粉末からつくる白いゼリーがぷるぷると震えている
そのなかにわたしも静かに入って温かくなるまで固まっていてもいい

天気予報によれば大阪は曇り（寒天の下に大阪はある）
誰も知っている人のいない街は寒天で固まっている

（大阪の寒天ゼリーよせ――梅田駅周辺をよく混ぜあわせて砂糖を加えたもの
に心斎橋のスライスと中之島公園を細かく砕いた大阪のキタを散らして寒天
　ゼリーで固めて皿に盛る）

宿泊するホテルの浴室の白いタオルと白い石鹸を思い浮かべる
花が一輪飾ってあるといいがそれは造花かもしれない
白い寒天ゼリーのなかで揺れる大阪の街を歩いていく
かなう望みとかなわない望みをいくつか抱いて
大阪への到着時刻には数分の遅れが出る予定

水道橋の水難

入梅の時期に気がつくと
不愉快な世の中を歩く靴もすりへっている

おとといの夜は
水道橋の駅をすりへった靴で歩いていた
巨大な水道の蛇口のオブジェが
水道橋という駅にはあるような気がしていたが
そんなものはみあたらなくて

空から降る細かい水滴をはじきながら
いろいろなカタチの靴をはいておおぜいのひとが歩いていた
どちらかといえば東口に向かっていく
わたしは反対に西口に向かって歩いた
校正の教室がその方向にあるのだ

【校正者養成夜間コース金曜　実習　四〇一教室】

(校正者はわたしにとって神のような存在だった。おこがましくも著者だったわたしがたとえば「電光掲示板の文字が左から右に流れていく」と書いて平然としていると、神はエンピツで「右から左では?」と控えめにしかしはっきりと正しい方向に導いてくれた。たいていの場合、神は姿も見えず声も聞こえなかった)

細かい水滴が風に吹きつけられて眼鏡がくもっていく
かばんのなかの〇・三ミリの赤ペンのインクは切れていないだろうか
ともかくこのすりへった靴をなんとかしないと
こんな靴では、そう、神にはなれないよ

（おまえはいったい何者だ？）
（おまえはこれから神になろうというのか？）

一日の勤めを終えて水道橋の駅に向かって歩いてくる会社員たち
若い女たちは色とりどりのパンプスや涼しげなサンダルなどで歩いている
わたしは逆の方向へ居酒屋の店員が呼び込みしているところをすりぬけて
四〇一教室へと向かっているのだがすりへった靴は嫌がって

なかなか前に進まないのだ

わたしの足にぴったりとしたあたらしい靴が欲しい
色は大きさはカタチはヒールの高さは？
赤い靴をいちどは履いてみたいが
やはり無難な色を選んだほうがいいかもしれない

四〇一教室ではすでに若い生徒たちが静かに席についている
かれらはきちんとした靴を履いている
すりへった靴は履いていないし赤い靴も履いていない
（赤いのは机の上に出している細いペンだけ）

そのときクマのようなネコのような

わたしに似た何者かが背後から近づいてきて
「あたらしい詩を書くんだ」と言って
それきり雑踏にまぎれてしまった

あたらしい詩、そんなの書けそうもないよ
神にも詩人にもなれそうもないわたしには

振り返ると空には大きな水道の蛇口が浮かび
誰かの大きな手がその蛇口をひねるのが見えた

水が流れてくる
水道橋の道路をたちまちひたひたと水がおしよせて
すりへった靴はたちまち水浸しになって流されて

神保町の地下鉄の駅へと吸い込まれてしまった

水は膝の上までせりあがってきたから
水の中でクマのようなネコのような
クマ泳ぎネコ泳ぎしながら
憂き世の浮き輪を探したのだが
四〇一教室の前もいつのまにか通り過ぎてしまって
こうなったらもう赤い靴にも未練はないから
クマ泳ぎネコ泳ぎしてずっと遠くまで行くだけさ

噛む夜

誰もいない夕方
台所に立って
茄子　葱　胡瓜
左手に刃物を握って切る、刻む
酒　みりん　しょうゆ　味噌
（米の炊ける匂いがする）
丸い椀　皿　鍋　菜箸
それから肉を取り出して切る

（弓矢で仕留めたのではなく店で売られていたものだ）

たぶんわたしはしんけんな顔をしているだろう
これからヒトとして有機物を摂取するのだから
生きていくための左手は握ったり持ち上げたり忙しく動き回り
時々思い出して文字を書く右手は水栓を開けたり閉めたりする

水や火を巧みに操ることができると
信じこんでいる左手に縋って　きょうも

昨日の昼間、ベランダで枯れた鉢植えの桔梗を抜いて捨てようとしたら
根の近くにあたらしく緑色の芽が出ていて「植物はきりがない」と思った
【きり】切ること。切ったもの。最後。続いたことの終わり。

「部屋で女性の遺体が発見されました」
テレビがとつぜんそう言うのだが
ふりかえってみることはしないで

箸を使い　咀嚼する
豆と米　肉と葱　味噌と茄子　胡瓜
先月、右の奥歯の詰め物がとれてしまったので穴があいていて
その穴に噛んだものがはさまってしまうので困っている
こんどの氷河期の終わりにわたしが発見されたときには、
右の奥歯の穴に豆が見つかったりはしないかと気になってしまう
歯と顎の形状からなにを噛んでいたかわかってしまうのだろうか

ベランダに誰かいるような気がして
立ちあがって窓を開けて外を覗いてみる
鉢植えは静かに並んでいるようだ
朝顔　サルビア　秋明菊　そして桔梗
（植物は黙って動かないふりをして逃れるが
　わたしは仕留められてしまうかもしれない）

月が出ている
月にも噛まれた跡があって
そのために傾いているのだった

眠って目が覚めたときには
いつも右手だけがこわばっている

心臓から遠いせいだと思っている
文字は心臓から離れていく
取り返したくても　逃れていく

豆と米　肉と葱
噛まれてそれらが【わたし】になって
火や水を使い発語するとは思えないのに
味噌と茄子　噛まれて熱となって
胡瓜　また噛んでいる

朝がくると月は見えなくなり
噛まれた痕跡は拭われている

ベートーヴェンの秋

秋がきてマンションの大規模修繕工事がはじまった
金属のポールで建物のまわりに足場が組まれていって
大きなジャングルジムのなかに住んでいるみたいだ
網戸ははずされてしまったから窓は閉め切っている

朝から部屋でＣＤをかけて
ベートーヴェンのピアノソナタを聴くのはどうかな
なにしろきみはすごいヤツだってこと

最近になってやっと気づいたんだベートーヴェン
（気づくのが遅くてごめんね）

駅前で安売りしていたＣＤからは
甘く熟した梨みたいな演奏が流れ出す

ベートーヴェンの〈悲愴〉
ベートーヴェンの〈熱情〉
ベートーヴェンの〈月光〉
ベートーヴェンの……ダダダダダダダダ
ひとつの模様がダダダダダダダと流れて
また繰り返される床の上でそれからべつの模様が
カッコイイ菱形や市松模様のかたちで現れる

そのあいだを確実につないでいるダダダダダダダ
飾りのように斜めにかけぬける音の糸が縫いとめて
また繰り返される壁の向こうへと流れてダダダダダダダ

ガガガガガガガ、とマンションの壁の向こうからはドリルの音が響いてくる
ここは東南の角部屋だから東の壁のタイルを剥がしている音だ

閉め切った窓の外を工事の人たちが横切っていく
足場を軽々と渡り歩いて黙々と仕事をする人たち
ジャングルジムのなかに閉じ込められているわたし
ここは地上2階なのか3階なのかもよくわからない
そうしてきょうは養生のカバーをかける日で
白いメッシュのシートが垂れ幕のように下がってきて

窓の外は霧がかかったようになって景色は見えなくなった
幻想的な白い光に包まれてわたしは養生されてしまった
(白い梨の実のなかの種のように閉じ込められて)

ベートーヴェンも自分の足場の上で仕事をしている
〈ワルトシュタイン〉ハ長調……

昔、少しだけピアノを習ったことがある
発表会で弾いた曲はベートーヴェンの練習曲で
やっぱりハ長調だった
難しいのに不細工な感じで
弾けば弾くほど下手に聴こえて
それきりピアノなんて触ったこともない

そのあともいろいろ忙しくて
きみの話を聞くのはちょっと後にしたいと
思ってしまって、ごめんねベートーヴェン！

トントントン、コリコリコリ、壁を叩いて調べる音
なぜか歯医者を連想して顎を押さえてみたりする
ガガガガガガガ、ドリルの音がまた響く
攻撃、されている感じ、ほらあの
「子どもを産まず子どもを育てず昼間から家にいる女を攻撃する会」
みたいな連中がきたのかもしれないとつい思ってしまう

ダダダダダダダダ、対抗するベートーヴェン
ベートーヴェンのトリル（ママ）

ベートーヴェンだって独身で子どももいなかったわけだし
などと口のなかで呟いてみるけど誰も聞いてなんかいない

とつぜんベランダに作業服を着た人が降りてきた
とっさに窓ガラス越しに頭を下げると身振りで挨拶を返されて
これはマンションの修繕工事だということをやっと思い出す
けれども〈ワルトシュタイン〉はまだ続いていて
ダダダダダダダダ
わたしはここから列車に飛び乗り
秋風に向かって走り出しそうな気配だ
宙空に敷かれた線路はケヤキの木を越えて
白い光のなかを斜めに駆けぬけていく
ダダダダ

ダダダダ

ふと下を見下ろすと
ベートーヴェンが梨の実をかじりながら歩いていた
手を振ってみたが彼はわきめもふらずにまっすぐ歩いていた
そして地面に梨の実の芯を投げ捨てて角を曲がっていってしまった

ぽとん、とわたしはマンションの部屋にもどってきた
CDはリピートして短調の〈月光〉が流れている
白い光は翳って部屋は薄暗くなっていた
ベランダにももう誰もいない

秋の夕暮れ時

頭のなかに電灯がひとつ灯って
古い工事現場を照らしはじめるが
わたしはきょうもそこに行かなかった
(足場はまだ解体されていないけれど)
窓という窓を開けて部屋に風を通してから
頭のなかの電灯を静かに消してしまった

誕生日に

誕生日には北風が吹いた
空は青くて雲ひとつなかった
はじめてウールの服を着た
羊は毛を刈られて寒がっているんだろうけど

電車に乗って吉祥寺で降りるまでに
脱毛の広告を三種類も見た
最近は全身の脱毛をするのだ

女の陰毛だって　男の脛毛だって
毛嫌いされて取り除かれてしまうのだ
そしてつるつるの皮膚を大切に覆う
植物繊維で　動物繊維で
だって寒いから　繊維に覆われて
人は冬に備える

吉祥寺で降りてヨドバシカメラまで歩いた　地下一階でデジタルメモ〈ポメラ〉
　を探した
画面もキーボードも昔のワープロ専用機みたいで懐かしい　思ったより高かっ
　たけど
誕生日だから買ってしまった　ウレタン製のケースは買わなかった　それから
　デパートで

青空の青を集めたようなふわふわのセーターを見つけた〈ポメラ〉より
　もっと値段が高かったので眺めるだけにした

体毛に覆われたものたちはここにはいないんだな
そう思っていたら
交差点の向こうから羊たちがやってきたのだ
羊の群れは無言でもくもくとおしよせてきて吉祥寺の街も駅も覆いつくしてし
　まった
太陽は静かに中空に輝いて空には雲ひとつなかった
わたしは〈ポメラ〉で詩を書こうと思った
ふさふさとした毛の長い詩を書こうと思った

夏の姉のための三重奏

細かい傷のついた古いプラスチックケースから
CDを一枚取り出してミニコンポにセットして
スタートボタンを押してみる

ピアノ、ヴィオラ、クラリネットの音が沸きあがる
(夏の雲のように響いて)
(感電する　背中の翼に)

どうしてもたどりつきたかった
そこへ　その場所へ　高い空の彼方
その夏に飛んだ高度はいまも計測不可能だ

わたしは十六歳で空は青く青く広がり
手に楽譜を持たされたまま困っている

クラリネットの丸い音は軽々と床を滑って
喜びに満ちて歌っていた
（感傷的な甘い調べで）

ダンガリーシャツを着た男の浅黒い腕
向日葵のように笑っている夏の姉

はやくこの楽譜を誰かに手渡したい

けれど墜落する天使
翼は燃えてしまった

黒と銀の管楽器をあなたはケースにしまう
夏の姉がこちらに向かって手を振っている
サヨナラ　白と黒の鍵盤楽器を叩く長い指

すぐに木枯らしの季節がくる
（クラリネットはケースにしまいこまれたまま
　ずっと夏の雲の夢をみている）

第三楽章アレグロノントロッポ
わたしは猫のように耳をピンとたてる
昨夜も静寂のなかで遠くの列車の音を聴いたのだ
（夏の姉はもう夢をみない）

真冬の早朝に暖房のついていない音楽室で
黒と銀の管楽器に頼りない息を吹き込んでいた
自分のことなどもうすっかり忘れていたはずなのに

ＣＤが演奏を終えたとき
誰もいない今朝の光のなかで戸口をあけると
見知らぬ植物の銀色の穂が風に揺れていた

水のある風景

学校までの道を向かいの家のエリちゃんと行く
春先には冬眠から醒めた蛙が
寝ぼけまなこで道路を歩いて
車に轢かれてぺしゃんこになっている
あ、ルエカのイタシだ
蛙の死体を見つけるとそう言いあって
踏まないように飛び跳ねる
それでも雨の日には

泥の色をした蛙がゆっくりと
道路を横切っているのに出会ったりする
ハヤク、ハヤク渡らないと車がきてしまうよ

川べりでは護岸工事が続いていて
空き地には大きな土管が放り出してある
そのなかに潜って遊ぶ
土管のなかから畑が見える
月の向こう側にはグラウンドがあって
そのまた向こうに学校がある
川を渡る橋はいつも工事中だ

坂道をのぼると

土手に木イチゴの藪がある
木イチゴと蛇イチゴの違いについては
「自然観察会」の大学生から教わった
木イチゴをこっそり採る
この藪は誰にも教えないように秘密にしなくてはいけない
反対側は草の生えた急な傾斜なので
緑色の金網を巡らして入れないようになっているが
金網の破れ目からもぐりこむのは簡単で
足を滑らせないように降りていくと
細い水の流れが日光に反射してきらきら光っている
グラウンドで野球の練習をしている音が聞こえる
水の流れは家の裏にもあったのだが
埋め立てられて遊歩道になっている

学校からの帰りもエリちゃんと歩いていく
フジマルさんたちがゴム跳びをして遊んでいる
「入れて」と言うと
「エリちゃんはいいけどアキちゃんはだめ」と言う
フジマルさんは茶色い髪の毛をポニーテールにしている
エリちゃんはフジマルさんたちとゴム跳びをはじめたので
わたしは遊歩道を歩いてひとりで家に帰る

その家は木造の借家だけど門のかかる門があって
門から入ってすぐの柿の木の脇の玄関を開ける
隣は女子寮で女子学生が何人か下宿している
大家のマゴシさんとは時々庭で出会ったりする

庭は子どもにとっては充分に広いからわたしは庭が好きだ
花壇にはマゴシさんが季節ごとに花を植えている
春には水仙、クロッカス、ヒヤシンスが咲く
白や紫、黄色の花のあいだを虫が飛んでいる
むっとするような黒土のにおいがしている
この辺りは湿地だからね、と大人たちは言う
さまざまな植物が繁茂して虫や蛙も這い出てくるのだと

庭の水道で手を洗ったあとで
わたしは土をひとつかみ丸めて団子を作って
庭の桃の木のこぶのところめがけて放ってみる
あの桃の木なんかはどのくらい前からここにあるんだろう
すると鳥の声が鋭く響いて

子どもは白く濁った空を見上げる

馬たちは草原を越えてゆく

アイボリーの絨毯の上に　木彫りの馬を何頭も並べて
そこは草原　だけど雪が降る前に移動しなくてはいけない
強い馬が先頭に立つ　馬たちは助けあって広い草原を移動してゆく

幅の狭い階段を外側から上っていくと
二階には入り口が二つ並んでいて
手前のほうが叔母の家の玄関だ
料理がうまくて子どものいない叔母の家は

いつだってとてもきれいに片づいていて
そのためにわたしはほんの少しだけ居心地が悪い
叔母はわたしのことを可愛がってくれたのだけど

ハヤク行かないともう雪が降る
病気で倒れてしまった馬のそばにべつの馬がかけよってゆく

一階は叔父の仕事場だが
わたしはそこに行ってみたことがないので
叔父がどんな仕事をしているか知らなかった
わたしはとうとう最後までそこに入ってみたことがなかった
そこにはたぶん暗室があって古いフィルムが保管されていて
叔父が写真を現像するところも見られたはずなのに

〈坂本万七写真研究所〉

叔父はその写真研究所を父親から引き継いだ
お昼どきになると叔父が二階に上がってきた
わたしも一緒にカレーうどんを食べたりした

世田谷線が通過するたびに
二階建ての家が揺れて食器棚や本棚ががたがたと音をたてる
日の当たるベランダには花がいっぱいに植えられている
叔母は花を育てるのも上手だった

もう少しで馬たちは青い草の茂った新しい草原にたどりつく　モウ少シダ

そのとき一頭の馬の前脚が折れてしまったことにわたしは気づく

たちまち草原は消えてしまった
アイボリーの絨毯の上に木彫りの馬がいくつか転がっているだけだ
こんな遊びに熱中していたことが恥ずかしいという気持ちになる

そんなの気にしないでいいわよと叔母は笑う
ここはどうせ古いものばかりなんだからしかたないのよ
そんなことより晩御飯も食べていかない?
そろそろ母が迎えに来る時刻になったかどうか確かめるがよくわからない
わたしはあいまいに頷くが暗くなる前に家に帰りたいとも思う

うちは子どもがいないから　と叔母はよくわたしにそう言った
大人になったら自分も誰かにそう言うのだろうか
わたしは密かに考えたりした（誰にわたしはそう言うのだろうか）

それとも一緒にホットケーキ作ろうか　晩御飯にはまだ早いものね
そうだ　それがいい　わたしは子どもだから喜んで台所に行く
西日が次第に傾いていく

母とふたりの帰り道、
下高井戸から明大前の駅に着くと
電車のホームに鯉のいる池があって
その池を眺めるのが楽しみだった
そして井の頭線に乗って
永福町、西永福、浜田山
浜田山の駅に自転車をとめていたのか
それとも歩いて帰ったのかどうしても思い出せない

叔母の死んでしまった後、
叔父は後継者のいない写真研究所を取り壊して
自分は稲城の老人ホームに入った
美術のサークルがあって絵を描いたりしているという
いつか訪ねてみようと母と言いながら行ったことがない

馬たちはゆっくりと草原を越えてゆく

写真

会津若松でのゼミ合宿の写真
ジーンズをはいた数人の大学生と一緒に
短いキュロットスカートをはいた母の写っている写真を見たとき
わたしのなかでほっと咳く声が響いた
（外ではあんがいうまくやっているんだね
　最近は車酔いもしなくなったみたいだしよかった）
けれど時間はせわしなく流れて
教員だった母は定年で退職した

いまはもうなにも残っていない
勤め先の大学もなくなってしまった

半世紀以上前に造られたコンクリートの建物は
古びてくすんだ灰色になっている
北向きの研究室のスチールの本棚
セクトの落書きが消えない扇風機
青と白の市松模様の毛糸のクッションが置いてある回転椅子
わたしはその椅子に座って待っていた
左手の窓ガラスの向こうに
上ってきた坂道が見えるはずだが
その頃のわたしの背丈では薄い青空しか見えない
季節は秋だった

スチーム暖房はまだ入っていない

なにもすることがないので
スチールの事務机の引き出しをそっと開けてみる
するとモノクロの小さい写真が一枚引き出しの底に落ちていた
それは女子学生の証明書用のまっすぐに前を向いた写真で
わたしはその見知らぬ人の写真をなにか恐ろしい気持ちで眺めた
コンナ写真ヲ撮ラレルナンテ
コノヒトハ捕マッテ刑務所ニイルノカモシレナイ
アルイハ死ンデシマッタノカモシレナイ
証明書用の写真なんかわたしはまだ撮られたことがなかったから
こっそり指先でつまんでみて
これはいったい何なのだろうと考え込む

ともかく見てはいけないものだったのだと
一生懸命また元の場所に戻そうとするが
そもそもどこにあったものなのかわからない
引き出しのなかの藁半紙の陰に隠すように滑りこませる

無表情にまっすぐ前を見ている知らない人の写真を
見なかったことにしたいと思うのだが
キットコノヒトハ死ンデシマッタノダ
という考えが頭から離れなくなる

そのまま引き出しを閉めて
灰色の事務机の上に目を落として黙って座っている
青と白の市松模様のクッションの上に座っていればいいのだ

知らない人が来ても黙って座っていていいのだ
(じっさい知らない人が向こうのほうで
　ときどき戸を開けたりもするのだが
　またそのまま行ってしまう)
写真のことは気になるけれど
あまり静かなので少し眠くなってくる
スチールの本棚が壁際でぐんと高くなったようだ

「写真なんか引き出しに入っていたはずはないわよ」
母はその話を聞いてそう言ったが

季節は秋だった
窓の外の青空は急な貧血のように薄く白くなり

椅子も机も本棚もすべてがモノクロに変わって
宛先のない封筒のようにコトンと奥深いところへ落ちていく

あなたとわたしと無数の人々

父と母が昔の話をしているとき
たいていわたしは黙って聞いていたものだけれど
ひとが三人いて二人にしかわからないことがあるということは
あまりおもしろいことじゃない
それでも覚えている話のひとつが
「オガワのトラさんの話」
親戚のおじさんでもないし
わたしはもちろん知らないひとだけど

オガワのトラさんの名前が出ると母までが明るく楽しそうだった
トラさんって誰なんだろう　とわたしはいつも思っていた
よくわからないけどきっといいひとだったんだろうな

あるときオガワのトラさんは捕まって留置所に入れられた
だけどまもなく釈放された
そのとき電報を打ったのがSのやつなんだと父は言った
「トラデタコイ」
というSさんの作文した電報で皆が集まったという
トラデタコイ、トラデタコイと集まったんだ　ははは

電報を打ったSさんのことでわたしが覚えているのは、昔住んでいた高井戸の
借家に遊びに来て、ルリという名前の虎縞の猫をかまっていた姿だ　雄猫なの

にルリなんて名前をつけたせいか、めっぽう喧嘩に弱かった猫はSさんに機嫌よく遊んでもらっていた
（Sさんは面倒見のいいひとだったからトラさんにも差し入れしたりしていたんじゃないのと母が言う）

トラさんはベートーヴェンが好きで第九を歌うのが趣味だったのでその後ドイツへ行ったりしていたが、帰国してから急に体調を悪くして近所の交番にかけこんだら救急車で運ばれて、そのままシンジャッタ　という

それでオガワのトラさんって本名はなんていうの？
わたしはついに口を挟んだ
いや、なんだったかな
小川は本名だけどトラさんは違う　寅次郎とかそんなのじゃなくて

ふつうの名前だったけど　誰もトラさんとしか呼ばなかった
確か漫画に出てくるトラなんとかって奴に似ていたんじゃなかったかな

けっきょくオガワのトラさんの名前の由来はよくわからないのだった

それでもオガワのトラさんは雲の上で第九を歌っていて
いまでは父もそこに加わって夢のオーケストラを指揮していて
さきにいっていたSさんは雄猫のルリを撫でてくれているのだ
そんなふうに雲の上には知っているひとも知らないひともいる

もうひとりのSさんの葬儀から帰ってきたとき
「あーあ、みんなシンジャッタ」
と父は言ったものだけど

過去は未来にまわっていって
みんないつかは雲の上なのだけど
（もうひとりのSさんはやっぱり沖縄の雲の上だろうか）

未来について語るべきことなんかないとしても
空から訪れる太陽の光のなかでは懐かしい記憶だけでなく
わたしの知らない過去のすべてまでがちりちりと燃えているから
このさきにはもうほんとうに恐ろしいことなどありはしないと思う

オガワのトラさんは雲の上で…。

折り返す、七月

梅雨空の下で
カレンダーをめくる
ブルーグレイの六月が去って
月が替わる

きょうから新しい月が始まる
視界を横切る新聞のモノクロの見出し
左目が少し痛むので同じ場所にとどまるしかない

呼吸はまだ六月のリズムのままだ
机の上には送られてきた書類が積み重なり
椅子の背にはカーディガンが不定形の波型をつくっている
写真は色褪せて遠景に退いても紫陽花はさらに青い

書類やカーディガンが叛乱を起こす前に
確かに指先はカレンダーをめくったが

七月の色をわたしは知らないので
果てしなく続く白紙のような七月が
無色透明のダイヤモンドのような七月が
始まったことだけをここに記すのだ

蔓植物が伸びてゆく音が聞こえている

この年もまた半ばを過ぎて
折り返し地点にいるらしい
けれど折り返すことは難しいので
カレンダーはめくられて月日は去り

《為すべきことはあまりに多く人生はあまりに短い》（＊）

わたしは白い紙を折る
山折り　谷折り　折り返す
色々な折り紙のことはもう忘れているので

できあがるのは不恰好な鶴や四角い箱だけ
それでもまた折り返し
　　折り返して
　　　戻ってくるこの場所

鶴は空に飛ばしてしまって
箱には豆を入れておこうか

七月の色を探せ
残された時間のために

どこかで絹糸を燃やすにおいがして

振り返るわたしの頭越しに最初の太陽の光が届く

＊シェイクスピアの戯曲のなかの台詞。亡父を偲ぶ集まりで父の同僚が述べたもので「だから友よ、別れるときには笑って別れようではないか」と続く。

川上亜紀刊行全詩集　あとがき

川上亜紀は詩人として、生前に三冊の詩集『生姜を刻む』『酸素スル、春』『三月兎の耳をつけてほんとの話を書くわたし』を上梓し、二〇一八年一月に亡くなる直前に入稿し、死後に出された詩集『あなたとわたしと無数の人々』とあわせて四冊を発表している。

最後の詩集は、ガンが進行し、迫りくる自らの死を意識して編集された。もうすぐそこまでやってきている死の影を前に、恐れや不安、心細さがのしかかっていたはずだが、不本意な運命も受けとめ、静かに去っていく前に残そうという意思によるものだ。

どの詩集も、すでに入手困難な詩集となっており、この川上亜紀刊行全詩集『あなたとわたしと無数の人々』で、これまでに詩集として発表した全作品を読み通すことができることは、大変うれしいことだ。

川上亜紀は、若いころから難病を抱え、そうした日々の中で、詩と小説、エッセイなどを書いてきた。川上亜紀の詩は、どの作品も、読み手に向かって語りかけ、扉が開かれ、その先には川上の言葉でできた通路が無数に伸びて絡み合っている。この通路は、とても豊かで繊細で、独特のユーモアが漂う世界につながっている。忘れてはならない詩人だと思う。

本詩集刊行にあたって、尽力された七月堂はじめ関係者の皆様、川上美那子様に感謝したい。

――二〇二一年八月　白鳥信也

初出一覧

『生姜を刻む』（新風舎）
——一九九七年一月九日発行
『酸素スル、春』（七月堂）
——二〇〇五年二月一日発行
『三月兎の耳をつけてほんとの話を書くわたし』（思潮社）
——二〇一二年五月十日発行
『あなたとわたしと無数の人々』（七月堂）
——二〇一八年四月二五日発行

作品目次

『生姜を刻む』

『あなたとわたしと無数の人々』

川上亜紀略歴

一九六八年　東京生
早稲田大学文学部卒
在学中、難病にかかり、闘病しつつ、詩、小説を書く
二〇一六年　癌にかかり闘病かなわず
二〇一八年一月二三日逝去

［小説集］
二〇〇九年　小説集『グリーン・カルテ』刊行（作品社）所収三作
「グリーン・カルテ」は『群像』新人賞最終候補作、三回に分け『早稲田文学』に掲載
「ニセコ・アンヌプリ登頂」（『群像』に掲載）

「三日間」(『早稲田文学』に掲載)
二〇一九年　小説集『チャイナ・カシミア』刊行(七月堂)所収四作
「チャイナ・カシミア」(『早稲田文学』に掲載)
「北ホテル」(『モーアシビ』一六号〜一八号に掲載)
「靴下編み師とメリヤスの旅」(『モーアシビ』三二号掲載)
「灰色猫のよけいなお喋り」(『モーアシビ』三四号掲載)

[詩集]
一九九七年『生姜を刻む』(新風社)
二〇〇五年『酸素スル、春』(七月堂)
二〇一二年『三月兎の耳をつけてほんとの詩を書くわたし』(思潮社)
二〇一八年『あなたとわたしと無数の人々』(七月堂)
二〇一九年『モーアシビ』別冊(川上亜紀さん追悼特別編集)

文責＝川上美那子

七月堂叢書3　川上亜紀刊行全詩集
あなたとわたしと無数の人々
二〇二二年三月三〇日　第一刷発行
著者　川上亜紀
発行者　知念明子
発行所　七月堂
東京都世田谷区豪徳寺一-二-六
電話　〇三-六八〇四-四七八八
FAX　〇三-六八〇四-四七八七
装幀・組版　川島雄太郎
印刷・製本　渋谷文泉閣
本体価格　二〇〇〇円+税

ISBN 978-4-87944-486-8 C0092 ¥2000E